Über dieses Buch

Alexander Spoerl ist ein Meister der hierzulande seltenen Kunst, witzig, ironisch und scheinbar leichthin zu erzählen und damit genau den Kern einer Sache zu treffen. Man liest mit stillem Schmunzeln und herzlichem Lachen, wie der unverbesserliche Individualist Jakob van Tast alias Alexander Spoerl in der Schule und den schwierigen Jahren der »Gleichschaltung« seine persönliche Freiheit verteidigt. Der gesunde Menschenverstand triumphiert, wer möchte sich darüber nicht freuen!

Alexander Spoerl: Memoiren eines mittelmäßigen Schülers

Deutscher
Taschenbuch
Verlag

Im Gedenken an Libertas

Ungekürzte Ausgabe
1. Auflage Juli 1962
20. Auflage März 1979: 406. bis 420. Tausend
Deutscher Taschenbuch Verlag GmbH & Co. KG, München

Ausstattung: Celestino Piatti
Gesamtherstellung: C. H. Beck'sche Buchdruckerei, Nördlingen
Printed in Germany · ISBN 3-423-00057-0

Personen, die in diesem Buch
vorkommen, sind nicht gemeint

Aus dem Kästchen macht es unaufhörlich ›tack-lack tack-lack tack-lack‹. Die rote Glühbirne blinkt auf und blinkt ab und blinkt auf und blinkt ab und läßt die hohen weißen Türflügel unter ihr in gleichem Rhythmus aufleuchten und erlöschen.

Auf dem Arm habe ich noch immer Margrets Morgenrock.

Warum macht das Kästchen tack-lack tack-lack? Und was bedeutet das Blinken der roten Birne?

Heißt es Gefahr?

Daß man nicht eintreten soll?

Oder daß mein Sohn bereits auf die Welt kommt?

Mein Herz klopft bis in die Knie. Ich wende mich ab, und meine Schuhsohlen knarren unverschämt durch die Gänge. Denn es ist Nacht, und aus dem Halbdunkel sehen mich in endloser Reihe mattweiße Türen vorwurfsvoll an.

Ich halte ein, und es ist wieder still. Entlang der Wände am Boden stehen Vasen mit Blumen, sie sehen an mir vorbei, denn es sind fremde Blumen und von fremden Leuten.

Und was mache ich mit Margrets Morgenrock? Ich könnte ihn an eine Türklinke hängen. Aber ich weiß ja nicht, wessen Klinke es ist und was hinter der Tür liegt, ob schlafende Mütter, das Büro einer gestrengen Nachtschwester, die Küche mit Eisschrank und Abwasch, oder der Saal mit den neuen Kindern, den ich mir gar nicht vorstellen kann, weil die Kinder noch so klein sind, viel zu klein für eigene Bettchen. Aber wie sonst sollten sie aufbewahrt werden, doch nicht in Regalen oder gepolsterten Schublädchen? Wahrscheinlich in niedlichen Kistchen, damit man sie später mitnehmen kann.

Ich lege den Morgenrock vom linken auf den rechten Arm. Aus dem Ende des Ganges taucht eine Schwester, bewegt sich auf mich zu, gleichmäßig und unaufhaltsam, als liefe sie mit Elektroantrieb. Ich werde sie fragen, ob es bald soweit ist. Ich trete zur Seite, und sie gleitet an mir vorüber, biegt in einen anderen Gang, und dann höre ich noch lange und leiser werdend das Quietschen ihrer flachen Schuhe. Ich eile ihr nach, und alle

Gänge sehen sich gleich mit den Türen und den Blumen. Das Quietschen hält unvermittelt ein. Nun muß eine Tür gehen. Ich biege um die nächste Ecke. Der Gang ist leer.

Ich habe vergessen, Margret zu fragen, wo zuhause die Eier stehen. Aber der Gedanke an Eier ist in dieser Stunde profan. Ich schäme mich, und ich habe Hunger.

Später finde ich in einer Hosentasche meine Pfeife. Da nirgends ein Schild ist *Rauchen verboten!*, stopfe ich sie und stecke sie mutig an. Wo keiner ist, kann es auch keinen stören. Und bestimmt haben die Zimmer doppelte Türen. Auf schrägen, leisen Sohlen ziehe ich weiter, damit der Rauch sich in den Gängen besser verdünnt. Der Morgenrock ist mir vom Arm geglitten. Ich rolle ihn zusammen und schnüre ihn mit seinem seidenen Gürtel zu einem bequemen Bündel. Aber dann lasse ich ihn wieder auseinanderfallen und falte ihn liebevoll über den Arm, denn ich möchte ordentlich sein mit den Dingen von Margret, die mir nun einen Sohn schenkt.

Neben mir taucht eine Bank auf, weißglänzend und hart, und ich – mein Name ist Jakob van Tast – lasse mich auf ihr nieder.

Ob er mir ähnlich sein wird? Gleich zu Anfang wäre das zuviel von ihm verlangt, denn ich habe lange Haare, eine Brille und bin nicht immer gut rasiert, und mein Sohn – van Tast junior – wird vorläufig nichts anderes sein, als ein schreiendes Verdauungssystem in rosa Fleischverpackung, das – wie ich zuverlässig von einem Freund weiß – alle vier Stunden oben aufgefüllt werden muß, weil es am anderen Ende undicht ist, ähnlich wie ein Blumentopf. Aber so entsteht Wachstum, und langsam wird etwas Vernünftiges daraus, ein kleiner Junge, der Tischdecken herunterzieht, beim Kaffeekränzchen die Damen in die Waden beißt und Briketts durchs Fenster wirft. Das muß man ihm verbieten, ich muß ihn erziehen. Der Gedanke kommt mir erst jetzt, aber nun läßt sich nichts mehr rückgängig machen. Und mein Sohn kommt natürlich auf mich; ich war zwar ein folgsames Kind, tat nichts, was die Eltern verboten hatten, ganz bestimmt nicht, aber mir fiel stets etwas Neues ein, was noch nicht verboten war.

Weil ich das Lustige liebte.

Deshalb wollte ich nicht auf die Schule. Aber Vati sagte, die Schule sei auch schrecklich lustig. Vati weiß alles, und ich nahm es wörtlich. Und blieb dabei, daß es das Wesen der Schule sei, lustig zu sein, und ich ließ mich nie wieder davon abbringen. Auch von der Schule nicht.

Zu Ostern gab es diesmal keine Eier, sondern einen Schulranzen. Er roch nach Leder, und es war ein dünnes Buch darin mit großen Buchstaben, die noch ganz allein standen. Auch ein Hund war abgebildet, aber der war gar nicht sympathisch. Und was mir unser Mädchen vorlas, ließ den Hund noch weiter in meiner Achtung sinken, denn er tat gar nichts Außergewöhnliches, rettete kein Kind und raubte keine Prinzessin, sondern er hieß Karo, und Karo bellt. Und das war alles. Ein paar Seiten weiter stand ein recht dummes Pferd. Vati entschuldigte es damit, daß es ein Esel sei. Der Esel macht i-a. Weiterhin fand ich da noch zwei Kinder, die über ein Seil sprangen. Es waren aber ganz gewöhnliche Kinder, keineswegs Königskinder oder Elfen, mit denen ich in meinen anderen Büchern Umgang hatte. Die Schiefertafel war besser, sie ließ mir freien Raum, und ich übte mich auf ihr im Malen. Und über allem stand das Schwämmchen, mit dem ich Herr war über das Gemalte, und das man unter dem Wasserkran naß machen konnte und Vatis Bürovorsteher auf den Stuhl legen.

Also vorbereitet und ausgerüstet mit einer buntlackierten Zuckertüte kam ich eines Morgens auf die Schule. Da waren viele Muttis, die kämmten alle ihre Kinder noch einmal und sagten, sie sollten artig sein. Und die Kinder waren auch ganz artig in ihren Bänken, denn sie waren noch so dumm und wußten wohl gar nicht, wie lustig die Schule ist. Vor Aufregung aß ich den Rest aus meiner Zuckertüte, und dann setzte ich mir die spitze Tüte auf den Kopf, damit das Fräulein, wenn es kommt, auch gleich sieht, daß ich da bin.

Das Fräulein kam aber noch gar nicht. Und vorn stand eine Tafel, viel größer als die meine, und bunte Kreide lag daneben. Ich malte ein Portrait darauf, noch ganz abstrakt, wie es damals meine Art war: ein Kreis, ein Punkt, ein Strich, ein Strich. Aber die Nase machte ich grün, wie das auf einem modernen Bild war, das Vati gerade gekauft hatte. Die anderen Kinder verstanden aber nichts davon und wollten eine rote Nase.

Dann kam das Fräulein. Und nun fängt das Lustige an, merkte ich, weil das Fräulein auch einen Buckel hatte. Sie fragte auch gleich, wie ich heiße, nahm mir die Zuckertüte vom Kopf und wischte mir mit ihrem Taschentuch die Schokolade vom Mund. Dann sagte sie, Guten Tag, liebe Kinder, und sagte, sie freue sich, daß wir alle da seien, und wir seien alles liebe Kinder und sicher auch alle sehr artig. – Das machte mich mißtrauisch, denn wenn die großen Leute sagen, daß man ein artiges Kind ist, dann kommt hinterher etwas Unangenehmes, dann muß man entweder ins Bett gehen oder dicke Erbsensuppe essen. Es kam aber noch viel schlimmer, denn das Fräulein sagte, jetzt müßten wir lernen. Vati hatte mir das verschwiegen. Aber vielleicht ist das Lernen auch sehr lustig.

Das Fräulein ging zur Tafel und sah mein Bild und sie fragte, wer das gemacht habe. Ich sagte: »Ich!« und wurde verlegen, weil ich glaubte, daß ich nun ein Lob bekäme. Das Fräulein sagte, so sähe sie aber gar nicht aus und das sei ein schlechtes Bild, und ich sei sehr ungezogen. Ungezogen klang schon vertrauter, und ich fühlte mich wohler. – Sie wischte sich aus und malte auf die Tafel ein O, und sagte, das sei ein Ei, ein Osterei, liebe Kinder, von dem man die Spitze abgeschlagen habe, um es essen zu können. Es sah auch wirklich so aus. Aber dann sagte sie plötzlich, es sei kein Ei, sondern ein O, und wir müßten alle zusammen O sagen. Ich ließ mir aber nichts vormachen, denn wenn auch die Spitze ab ist, dann bleibt es immer noch ein Ei. Und deshalb sagte ich: »Ei!« – »Nein, O!« sagte das Fräulein. – »Ei!« sagte ich. Die Kinder lachten, und das war fein! Das Fräulein sagte, es sehe nur aus wie ein Ei, es sei aber wirklich ein O. »Ein Ei«, sagte ich und stampfte mit dem Fuß auf, denn ich konnte nicht leiden, wenn die Erwachsenen lügen. Da holte mich das Fräulein aus der Bank und stellte mich vor der Klasse in die Ecke. Das tröstete mich etwas, denn in der Ecke war es noch viel schöner. Da konnten mich alle sehen, und wenn ich mit den Ohren wackelte – das hatte ich von Onkel Andreas gelernt – mußten alle lachen. Nur das Fräulein nicht. Sie gab mir ein Stück Kreide und sagte, wenn ich so schön mit den Ohren wackeln könne, dann könne ich doch sicher auch ein O an die Tafel schreiben. Ich malte eines. – »Siehst du«, sagte sie, »nun sag uns mal, was du da geschrieben hast.«

»Ein Ei.«

»Nein, ein O.«

»Ein Ei!« Und mir kamen die Tränen vor Zorn.

»Willst du denn gar nicht lernen?« fragte das Fräulein.

»Nein!« Denn ich fand es gar nicht mehr lustig.

Es klingelte. An der Tafel standen die Os. Lauter Eier.

Und das Fräulein gab mir einen Brief an meinen Vater, den ich stolz nach Hause trug, weil ich darin vorkam.

Und der Brief muß wieder sehr lustig gewesen sein, denn Vati und Mutti lachten, als sie ihn lasen. Ich wollte wissen, was drin stand, und auch lachen. Vati gab mir den Brief, aber ich konnte doch noch nicht lesen. Nur die Os!

Das war sehr klug von Vati, denn ich wurde neugierig auf Buchstaben und Worte, und es dauerte nicht lange, da konnte ich den ersten Satz: »lisa sei leise.« Ich war sehr stolz darauf und schrieb es überall hin. Mit Muttis Lippenstift auf die seidenen Portieren, worauf Vati beschloß, keine Maler mehr abends einzuladen, die immer so viel trinken und dann dummes Zeug machen. Ich schrieb es mit Tinte auf Vatis Akten, was ihn bei einem Plädoyer aus dem Konzept brachte. Und ich schrieb es mit Kreide auf die rupfenbespannte Wand des Treppenhauses. Da wurde die Frau des Zahnarztes böse, der unter uns wohnte, weil sie Lisa hieß, und sagte, bei uns ginge es noch viel lauter zu, mit Vatis Diktieren tagsüber und Muttis Gesangsübungen am Abend und dem unartigen Kind. – Immerhin sah ich, welche Wirkung drei kleine Worte erzeugen, und brauchte eigentlich nichts mehr zu lernen.

In der Schule lernten wir aber noch Rechnen, der Anschaulichkeit halber mit Äpfeln. Ich mochte bald keine Äpfel mehr, und als die Äpfel gar multipliziert wurden zum Apfeleinmaleins, fand ich sie sauer. Und unfaßbar waren mir die Nullen. Eine Null ist nichts, und wenn man sie noch so oft zusammenzählt, drei und null bleibt drei, und noch eine Null bleibt noch immer drei. Und doch hat die Null viel zu sagen, denn wenn sie hinter einer Zahl steht, ist die Zahl gleich das Zehnfache wert. Ich konnte damals noch nicht wissen, daß es in der Algebra ist wie im Leben! Je mehr Nullen hinter etwas stehen, um so größer ist die Macht. Denn die Nullen geben die Stelle an.

Und damals lebten wir im Zeichen der Nullen:

Wenn Vati Geld bekommen hatte, dann schob er es schnell unter der Sprechzimmertür durch, Geld mit vielen Nullen, und Mutti sauste damit zum Metzger, aber in der Viertelstunde, die dazwischen lag, gehörten schon wieder mehr Nullen dahinter.

Die Eltern wurden sehr nervös von der ewigen Nullerei und packten eines Tages die Koffer, um sich zu erholen. In den einen Koffer kamen unsere Kleider, in den anderen Muttis Hüte und in den dritten, eng zusammengepreßt, das Geld.

Eisenbahnfahren macht man im Sitzen, und deshalb war es gar nicht so schön, wie die Erwachsenen sagten. Auf der einen Seite die Eltern, die heute so still waren aus Angst, daß ich nicht artig sitzen bleibe, und auf der anderen Seite ein fremder Mann, der immer wieder aus seiner Zeitung schielte, weil er auch Angst hatte, daß ich nicht sitzen bleibe. Und ich durfte an nichts, nicht an die Lederriemen des Fensters, nicht an den Messingknauf der Tür und nicht einmal an den roten Handgriff, der von der Decke hängt. Zum Fenster konnte ich auch nicht hinaussehen, denn ich war ja noch klein, Häuser und Bäume lagen unterhalb meines Fensterhorizontes, und ich sah nur die Telegraphendrähte, die immer auf und ab wippten, mal höher, mal tiefer, mal mehr und mal weniger. Ich wäre lieber wieder zur Schule gegangen.

Dann standen wir auf einem Bahnhof und warteten auf einen Anschluß. Ich war sehr gespannt, denn ich hatte noch nie einen Anschluß gesehen. Aber Vater, der dauernd zu einer großen Tafel mit Zahlen lief, meinte, wir hätten keinen. Das machte mich traurig. Und Mutti wurde immer noch mehr nervös und guckte auf den dritten Koffer und sagte, wenn es noch lange so ginge, dann kämen wir mit unserem Geld als arme Leute an. Da weinte ich und bekam eine Watsch.

Nach Haue konnte ich immer gut schlafen, und ich wurde erst wach, als wir an der See waren. Die Sonne schien, und meine Eltern machten gleich mit mir einen Rundgang am Strand. Ich ging aber immer unter ihnen. Und bald kam eine Dame auf uns zu und fragte die Eltern: »Ist das Ihr Kind?« – »Ja«, sagten meine Eltern mit Stolz, denn ich trug einen weißen Matrosenanzug. – »Das ist ein böses Kind«, sagte die Dame, »es hat meinem Töchterchen Sand in die Augen geschmissen.« – Ich bekam keine Watsch, weil die Sonne so schön war, und die Eltern sich erholen wollten. Und ich sollte nicht wieder Sand in die Augen schmeißen.

Dann kam aber wieder eine Dame und fragte: »Ist das Ihr Kind?« Vati schwieg und Mutti fragte vorsichtig: »Warum?« – »Das ist ein böses Kind«, sagte die Dame, »denn ich nahm ein Sonnenbad und Ihr Kind biß mich in die Zehe.« – Vati sagte, ich kriege Haue, wenn ich nicht lieb zu den Leuten bin. Und danach kam aber noch eine Dame und fragte: »Ist das Ihr Kind?« – »Nein«, riefen die Eltern zugleich und zusammen. – »Ach, entschuldigen Sie«, sagte die Dame, »aber ein goldiges Kind! Denken Sie nur, wie lieb es zu mir war, es hat mir einen Sonnenschirm geschenkt.« Strich mir über die Locken und ging mit Muttis Sonnenschirm wieder davon.

Wir wohnten in einem einsam gelegenen Haus, und ich hatte gehört, daß die Leute Pension hießen. Des Morgens zogen wir uns alle Badeanzüge an und bunte Bademäntel, um zu baden. Aber wir blieben im Haus, weil Vati auf den Geldbriefträger wartete und immer wieder mit der Bank telefonierte. Und wenn das Geld dann endlich kam, telefonierte Vater wieder neu, wegen der neuen Nullen.

Wir haben aber trotzdem gebadet. Eines Tages sagte Mutti: »Männi, was ist mit dem Kind los? Der Junge ist so artig.« – Vati erhob sich aus dem Sand und fragte, warum ich so artig sei. Ich sagte, ich sei gar nicht artig. Vati versprach mir, daß ich keine Haue kriege, wenn ich es ihm sage. Ich sagte Vati: »Da ist doch bei den Pensions so eine Tür.« – »Ja«, sagte Vati, »da sind viele Türen. Aber nun sag es schon!« – »Ja«, sagte ich, »aber eine hat doch so ein Schildchen, da steht ›frie‹ drauf.« – »Frei«, verbesserte Vati. – »Ja«, sagte ich, »aber manchmal kommt auch ein langes Wort, das haben wir aber noch nicht gehabt.« – »Besetzt«, klärte mich Vati auf. – »Ja«, sagte ich, »und wenn einer drauf ist, kommt das lange Wort.« – »Ganz recht«, sagte Vati, und Mutti nahm die Sonnenbrille ab. – »Ja«, sagte ich, »und wenn man Spucke an den Finger tut, dann kann man auch von außen das Schildchen – krieg ich auch keine Haue?« – »Nein«, schwuren Vati und Mutti. – »Dann kann man von außen das Schildchen rumdrehen, bis das lange Wort kommt.« – »Und?« sagte Vati. – »Ja«, sagte ich, »und jetzt ist das lange Wort und keiner drauf.«

»Ach so«, sagten Vati und Mutti. Sie legten sich wieder in den Sand, denn sie brauchten die Tür ja noch nicht. Aber dann meinte Mutti, daß vielleicht andere –. Sie flüsterten miteinander, packten Badetaschen und Mäntel zusammen, nahmen mich bei der Hand und gingen mit mir zurück zu Pensions. Vati brachte mich dann gleich zu der kleinen Tür, wo auch wirklich das lange Wort stand, und sagte, ich solle wieder Spucke an den Finger machen. Ich tat es. Er befahl mir, mit dem Spuckefinger das Schild wieder zurückzudrehen auf das kurze Wort. Ich wollte aber nicht, und Haue konnte ich doch nicht kriegen, weil Vati es versprochen hatte. Vati drohte, daß ich trotzdem Haue bekomme, wenn ich jetzt nicht sofort das Schild zurückdrehe.

Da tat ich es.

Vati probierte, ob sich die Tür auch wirklich wieder öffnen ließe. Aber da saß eine alte Dame, und Vati knallte die Tür zu, und die Dame kreischte und schimpfte durch die Tür hindurch meinen Vati aus, es sei unglaublich, ein kleines Kind zu solchen Gemeinheiten zu mißbrauchen, wenn andere Leute friedlich, und das Kind sei schon ganz verdorben, und einem solchen Vater gehöre die Gewalt entzogen.

Am Abend war es überall rund. Vati konnte sich nicht verteidigen, weil keiner mit ihm sprach.

Wir reisten schnell ab.

Zuhause war es auch viel schöner. Vati konnte nicht aufpassen, denn er lief in seinem Zimmer auf und ab und diktierte: »Es wird bestritten . . .« – Dafür bekam er Geld von den Leuten. Und Mutti sang Tonleitern, do re mi fa so la si do, und ein Mann mit wallendem Haar bumste dazu aufs Klavier. Manchmal sang er auch selber ein Lied. Ich kam herein und fragte entsetzt: »Mutti, warum schimpft der Onkel so?« Ich mußte wieder hinaus. Und das Mädchen in der Küche war auch ganz froh, wenn ich nicht in der Küche war. Deshalb war ich auf der Straße.

Uns gegenüber war ein großes Haus aus schweren Steinquadern mit schmiedeeisernen Gittern vor den Fenstern und einer schweren, goldenen Tür. Es war eine Bank und ganz voll mit Beamten. Jeden Tag um Punkt zwölf ging die goldene Tür auf, und die Beamten kamen heraus, weil sie eilig zum Essen mußten. Sie waren so pünktlich, daß Vater immer am Fenster stand und seine Uhr danach stellte, denn Radio gab es damals noch nicht.

Eines Tages sah ich, daß der Patentschlüssel in der Tür stecken geblieben war. Ich ging hin, drehte ihn rum und warf ihn in den Rinnstein. Das hatte aber der junge Verkäufer gesehen aus dem Handschuhgeschäft, der schon keine Haare mehr auf dem Kopf hatte. Er konnte mich nie leiden, aber diesmal grinste er freundlich und nickte mir zu. Zufrieden ging ich nach Hause.

Um zwölf Uhr stand Vati am Fenster und wunderte sich, was mit seiner Uhr los war. Er klopfte daran und hielt sie ans Ohr und stellte sie alle fünf Minuten zurück auf zwölf. Um halb ein Uhr klingelte es, und der junge Verkäufer ohne Haare wollte zu Vati, er habe ihm was Wichtiges mitzuteilen. Ich versteckte mich hinter der Portiere in Vaters Sprechzimmer.

Als der junge Verkäufer eintrat, stand Vati noch immer am Fenster und hatte mit einem Taschenmesser den Deckel seiner Uhr geöffnet. Der junge Verkäufer ohne Haare erzählte ihm das mit dem Schlüssel. Vati rief aber nicht nach mir, sondern sagte nur: »So so.«

Er habe alles genau beobachtet, sagte der junge Verkäufer.

»Sie haben also in Ruhe zugesehen?« fragte Vati.

»Er hat sogar genickt«, rief ich und vergaß, daß ich hinter der Portiere stand.

Der junge Verkäufer drehte sich rum, aber Vati schien es nicht gehört zu haben, sondern drückte wieder den Deckel auf seine Uhr und kümmerte sich nicht um den jungen Mann.

Der junge Mann sagte, nun könnten die Beamten nicht heraus, denn es habe doch keiner den Schlüssel. Der läge im Rinnstein.

»Wenn Sie wissen, wo der Schlüssel liegt, warum haben Sie die Tür nicht geöffnet?«

Der Verkäufer meinte, er habe mit der Sache nichts zu tun und sie ginge ihn gar nichts an.

»Da haben Sie recht«, sagte Vati und stand noch am Fenster, »aber was wollen Sie dann bei mir?«

Er meinte, das gäbe bestimmt einen dicken Schadenersatz, wenn es rauskäme.

Vati lächelte freundlich: »Brauchen Sie Geld?«

Geld könne man immer gebrauchen.

Vati zog die Brieftasche. Und ich war wütend, weil er dem Mann Geld dafür gab, daß er mich verpetzt hatte, und wo er doch nicht einmal Haare auf dem Kopf hatte.

»Sie könnten mir einen Gefallen erweisen, junger Mann. Nehmen Sie den Schlüssel aus dem Rinnstein und schließen Sie auf. Dafür gebe ich Ihnen zehn Milliarden.«

Der junge Mann nahm die zehn Milliarden.

Vati und ich guckten zum Fenster hinaus, wie er die Bank aufschloß.

Da purzelten die Beamten heraus und fielen über den jungen Mann her und glaubten, der sei es gewesen, denn sie schlugen ihn mit Regenschirmen und Stöcken windelweich.

Vati lachte, daß ihm ein paar Haare über die Brille fielen. Und ich freute mich auch und mußte auch schrecklich lachen. Als Vati das sah, schnallte er sich den Gürtel ab und sagte, jetzt käme ich dran. Und dann habe ich beinahe Haue bekommen.

Denn ich wurde sehr streng erzogen und bekam immer gleich beinahe Haue.

Das mit den Beamten hatte aber noch Folgen: weil die Oma nämlich sagte, das Kind müsse etwas zum Spielen haben, wenn es auf die Straße ginge. Ich hatte schon einen Märklin-Baukasten, aber der war nicht das Richtige für draußen. Und die Bälle waren dauernd weg. Vati sagte, ich müsse etwas haben, was ich nicht verlieren kann, und meinte: ein Tretauto. Mutti sagte aber, treten könne ich schon zur Genüge, es müsse mehr etwas für die Arme sein, und kaufte mir einen Holländer. Mit einer Klingel. Die machte aber Vati wieder ab.

Ich hatte den Holländer sehr lieb und ölte alles daran, was aus Eisen war. Und das ging bis an meine Hosen (und das ist noch heute so). Aber Mutti sagte nichts, weil das immer noch besser sei, als wenn Beamte nicht nach Hause können.

Mit dem Holländer fuhr ich in den Hofgarten, wo gerade Frühling war. Da pflückte ich die Zweige von den Sträuchern, und weil doch hinten Löcher in dem Sitz sind, damit man die Lehne verstellen kann, steckte ich sie da hinein. Nun sah mein Holländer gleich viel hübscher aus, und ich kariolte an den Bänken vorbei, auf denen alte Männer ganz still in der Sonne saßen. Und Arbeitslose spielten mit Geld, und gestreifte Kindermädchen guckten immer hinter den Herren her, die mit Aktentaschen schnell durch den Park gingen.

»Ei«, sagte ein alter Mann, als er mich auf dem Holländer sah mit den blühenden Zweigen, »das ist wohl ein Brautwagen?« – ›Braut‹ kannte ich von unserem Dienstmädchen her, und das war sicher etwas sehr Lustiges, denn unser Dienstmädchen sang dann beim Abwaschen. Und deshalb sagte ich: »Ja, das ist ein Brautwagen.« – Dann kam auch der Aufseher, der aufpassen muß, wenn Kinder über den Rasen laufen, und fragte ganz streng: »Was hast du an deinem Holländer?« – »Das ist ein Brautwagen!« rief ich und fuhr weiter.

»Du hast ja gar keine Braut!« rief ein junger Erwerbsloser. Und die anderen Erwerbslosen lachten: »Du mußt dir noch eine Braut anschaffen!«

Ich mochte schon damals nicht, wenn die Leute über mich lachen, und suchte schnell eine Braut. Und fand ein kleines Mädchen, das noch sehr blaß war, und fragte sie: »Wie alt bist du?« – Sie sagte: »Ich bin sieben.«

»Ich bin aber erst sechs«, gestand ich. »Willst du nicht mit auf meinem Holländer fahren?« – Sie wollte aber nicht auf meinen Holländer. Der sei ja ganz schmutzig. Und lauter Bügeleisen dran. – »Das verstehst du nicht«, sagte ich, obgleich ich erst sechs war, »die sind wegen der Straßenlage, und Mutti darf es nicht wissen.« – »Dann will ich auch nicht mit dir spielen«, sagte das kleine Mädchen. »Du mit deiner ollen Straßenlage!« Was das überhaupt wäre? – Ich sagte ihr: »Straßenlage, das ist so eine Art Wuppdich, damit es besser fährt.« Weil das kleine Mädchen aber immer noch nicht auf meinen Holländer wollte, auch nicht mit Wuppdich und blühenden Zweigen, lachten die Leute auf den Bänken. Da wurde ich böse und zerrte das Mädchen gewaltsam auf den Holländer, drückte sie hinter mich auf den Sitz und sauste mit ihr davon. Da klatschten ein paar Leute, und ich dachte, jetzt kriege ich eine gute Kritik, weil ich das von Mutti wußte, wenn sie ein Konzert sang. Das Mädchen schrie aber und wollte immer runter, aber das konnte sie gar nicht, weil ich doch so sauste. Ich fuhr mit ihr über den großen Platz mit den Straßenbahnen und durch die Autos durch. Bis vor unser Haus. Da zog ich das Mädchen in das Treppenhaus und klingelte bei uns und sagte zu Mutti: »Guck mal, was ich mitgebracht habe!«

Die Eltern fragten das Mädchen, wie heißt du denn und wo wohnst du denn? Das Mädchen schrie aber immer nur Huuu! Vati telefonierte und sagte dann, man müsse abwarten. Und Mutti tat das Mädchen und mich in das Kinderzimmer, weil Vati so nervös war. Da schrie das Mädchen weiter. Ich war aber auch nervös und nahm mein Eureka-Gewehr, in dem eine Feder ist, und wenn man drückt, fliegt ein Holzstift heraus mit einer Gummisaugplatte, und sagte: »Wenn du nicht still bist, schieße ich.« Das Mädchen wußte aber wohl nicht, was ein Gewehr ist, denn sie schrie weiter. Da sagte ich: »Wenn du nicht still bist, kriegst du Haue.« Aber sie war so dumm, daß sie nicht einmal wußte, was Haue ist. Nun fiel mir etwas anderes ein, was Vati auch immer tat.

So gab ich meinen ersten Kuß.

Sie war aber nicht wie Mutti, sondern schrie weiter.

Unsere Minna brachte kleine Eierkuchen, die waren nur für das Mädchen, und ich bekam keine. Das Mädchen hörte auf mit Weinen und wollte alle Eierkuchen essen. Da heiratete ich sie, und sie mußte mir die Hälfte abgeben. Und dann wurde sie mit einem großen Auto abgeholt.

Am nächsten Tag wußte es schon das Fräulein in der Schule und sagte: »Du hast gewiß ein Schwesterchen haben wollen. Aber das kriegt man nicht mit dem Holländer. Da muß man schön warten, bis der Klapperstorch eins bringt.« Neben mir saß der kleine dicke Willi, der schon gleich im ersten Jahr sitzengeblieben war, und zeigte auf.

»Was willst du denn, Willi?« – »Dat muß ich dir insgeheim sagen«, sagte der Willi. – Das Fräulein kam ganz verwundert heran, und weil ich daneben saß, hörte ich, wie er sagte: »Wejen dem Klapperstorch, Frollein. Et jibt ja jar keine Klapperstörch. Ich weiß Bescheid, und du weißt Bescheid, und die Rotznäsen da –«, er zeigte mit dem Daumen über die Schulter, – »jet et nix an.«

Ich wußte aber auch Bescheid: Vati hatte mich schon aufgeklärt: Die kleinen Kinder wachsen auf großen Wiesen; nur wußte ich nicht, ob auf dem rechten Bein oder dem linken. Und das hat gar nichts mehr mit einem Holländer zu tun, denn ich wollte kein Schwesterchen, sondern eine Braut.

So wuchs ich heran und die anderen auch.

Und wir lernten Malnehmen und Teilen. Das Multiplizieren käme im praktischen Leben nicht vor, meinte Vati, sondern nur das Dividieren, und das ergäbe sich ganz von selbst.

Zwischen Tinte und Bruchstrich lagen die Pausen. Ich hielt nichts davon, denn in ihnen mußte man dicke Butterbrote essen. Weil ich sie nicht wieder mit nach Hause bringen durfte, gab ich anderen davon ab. Und weil ich nichts wieder mit nach Hause brachte, dachte Mutti, ich könne noch mehr davon essen und gab mir noch mehr Butterbrote mit. Das ging immer so weiter. Und ich wurde ein Krösus der Butterbrote und war zu Anfang der Pause besonders beliebt. Natürlich gab ich sie denen, die den meisten Hunger hatten, und wollte sie den Dünnen geben. Aber die Dicken schrien und lamentierten und hatten offenbar noch viel schlimmeren Hunger. Da taten sie mir leid. – So lernte ich schon früh, daß die Dicken am meisten jammern und am meisten unserer Hilfe bedürfen.

Wenn die Butterbrote vorbei waren, gingen wir an den Wasserkran, der durch unsere schmutzigen Kinderpfoten schon ganz blank geputzt war. Man konnte die Finger drunterhalten und spritzen. Und es gab auch Gummibläschen, die kosteten fünf Pfennige, die konnte man ganz dick voll Wasser machen, bis sie fast platzten, dann mußte man sie zuquetschen, und wenn man losließ, spritzten sie noch viel weiter. Das war so fein, daß es auf dem Schulhof verboten wurde. Eines Tages aber kam gerade der Herr Rektor vorbei. Da quetschte ich es schnell zu und versteckte das volle Bläschen in der Hosentasche. Es klingelte, und wir mußten uns zu zwei und zwei aufstellen und wurden von dem Fräulein in die Schulklasse geführt. In der Klasse konnte ich erst recht nicht loslassen und mußte weiter den Daumen draufquetschen. Und der tat bald sehr, sehr weh. Damit ich nicht drankomme, zeigte ich immer mit der linken Hand auf und schnippte mit den Fingern. Ich kam aber trotzdem dran und sollte etwas an die Tafel schreiben. Aber ich hatte doch den Daumen in der Hosentasche. Die Lehrerin sagte, ich solle die Hand aus der Hosentasche nehmen, aber die hatte gut reden. Ich versuchte links zu schreiben. Da stieg sie vom Pult und zog mir den

Arm aus der Hosentasche. Das war aber zuviel für meinen Daumen, und es ging ihr ins Gesicht. – Ich wurde dadurch sehr berühmt und wahrscheinlich habe ich Haue bekommen. Das habe ich aber nicht behalten, weil es gar nicht komisch war, und man nicht alle Haue behalten kann.

Und deshalb behält man so wenig von der Volksschule! Bestimmt sind die Volksschullehrer auch sehr komisch, aber man selbst ist noch so klein, und sie sind so groß, daß man es ihnen nicht ansieht, sondern alles für Schule hält und glaubt, es müsse so sein.

Auf der höheren Schule wurde das anders. Da kam jede Stunde ein neuer Lehrer, und was der machte, das hatte der vorige nicht gemacht, und da fiel es mir auf, wie komisch sie sind. So verspürte ich wohl den inneren Drang, dies meiner Umwelt in geeigneter Form mitzuteilen. Ich schrieb über die Lehrer Gedichte.

Das war gar nicht leicht, denn was ein Gedicht ist, das muß sich reimen. Aber was reimt sich schon auf Karaffe? Und was reimt sich auf Wesel? Oder Schwarzenwein? (Ein Wort, das es nicht einmal gibt!) – Und damit es sich richtig reimt, mußte ich immer noch eine Zeile dazudichten.

Als Mutti das las, war sie ganz entsetzt. Was wir für Lehrer hätten!

Dann rief sie Vati, der gerade mit meinem Märklin-Baukasten spielte. Vater las es auch und war gar nicht entsetzt. Im Gegenteil, er war angenehm überrascht – weil ich mit einemmal eine so saubere Handschrift hatte. – »Damit es die anderen gut lesen können«, erklärte ich ihm.

»Welche anderen?«

»In der Schule«, sagte ich.

»Das Heft bleibt hier!« Und Vati ging wieder an meinen Märklin-Baukasten, weil er einen Hebekran baute.

Ein Dichter, der nicht gelesen wird, fühlt sich betrogen. Ich steckte das Heft in die Schulmappe.

Als ich am nächsten Morgen aus dem Haus wollte, erschien Vati im Bademantel, durchsuchte meine Mappe, fand das Heft und knallte es wütend auf den kleinen Tisch in der Garderobe. – So blieb das Heft da.

Eine Stunde später fand unser Mädchen das Heft und dachte, ich hätte es vergessen. Sie band schnell die Schürze ab, trug das Heft zur Schule und gab es dem Kastellan. Damit ich nicht wieder nachsitzen muß. Der Kastellan klopfte an unsere Klassentür und händigte mir das Heft aus. Das war noch mal gut gegangen! Ich stopfte das Heft schleunigst unter die Bank, da stauchte es sich und setzte sich irgendwie quer, und ich wurde sehr aufgeregt. Das fiel auf. Der Französischlehrer wanderte auf mich zu. Und nun wurde es gelesen.

»Tast soll mal zum Direktor kommen!«

Er sprach kein Wort, sondern schrieb an einem Brief. Auf dem Tisch lag das Heft, aber ich tat so, als sähe ich es nicht, damit keiner drauf zu sprechen kommt. Der Direktor leckte am Kuvert und verschloß es und sagte, ich sei ein Schmutzfink. Ich tröstete mich damit, daß der Großvater das über Heine auch einmal gesagt hatte, und nun mußten wir ihn sogar auswendig lernen. Dann gab der Direktor mir den Brief, und ich könne nach Hause gehen und brauche vorerst nicht wiederzukommen. Man werde mich vorladen.

Ich kam mit dem Brief nach Hause, klingelte und war auf alles gefaßt. Unsere Minna öffnete. Aber Vati war bei Gericht und Mutti in der Stadt, die häusliche Katastrophe konnte noch nicht losgehen. Ich mußte darauf warten. Und das war noch viel schlimmer. Minna machte mir geröstetes Weißbrot mit Käse überbacken. Dann machte mir Minna Ei auf Speck. Es half aber alles nichts. Minna holte mich in die Küche und tröstete mich. Ihr Vetter sei auch nicht auf die höhere Schule gegangen, und heute habe er ein Auto und verdiene mehr Geld damit als andere Leute, die zur höheren Schule gegangen seien. Das ging gegen Vati.

Als Vater nach Hause kam, ging zuerst Minna zu ihm. Ich wartete in der Küchentür. Vater kam aus seinem Zimmer und ging hinüber ins Wohnzimmer. Er pfiff ein Liedchen!

Beim Mittagessen waren alle schrecklich nett zu mir. Ich durfte sogar Kartoffeln übrig lassen.

Am Nachmittag holte mich der Bürovorsteher und brachte mich in Vaters Sprechzimmer.

»Nehmen Sie – setz dich mal hin. – Du kommst also vor die Lehrerkonferenz. Du wirst es nicht leicht haben, deine Gegner sind zugleich deine Richter. Außerdem sind sie älter als du und in der Mehrzahl. Und ein Verteidiger ist nicht zugelassen.«

Ob er mir nicht sagen könne, was ich sagen soll?

»Natürlich die Wahrheit.«

»Sagen die Leute, die du bei Gericht verteidigst, auch manchmal die Wahrheit?«

»Leider.«

Pause.

»Papa, dann rate ihnen doch, nicht die Wahrheit zu sagen!«

»Das darf ich nicht, das würde gegen die Ehrbegriffe des Anwaltstandes verstoßen. – So, nun kannst du gehen.«

In der Tür blieb ich nochmal stehen: »Minnas Vetter ist Taxi-Chauffeur, und sie sagt, er verdient schrecklich viel Geld.«

»Man wählt nicht den Beruf, in dem man Geld verdient, sondern zu dem man sich berufen fühlt.«

»Dann werde ich Schriftsteller, da braucht man auch kein Abitur.«

»Davon kann man nicht leben.«

Mit der Abendpost kam wieder ein blauer Brief: Morgen um 10 Uhr 30.

Der Kastellan führte mich durch die Gänge mit den langen Paneelen und den bunten Schülermützen, bis hinten durch, und schob mich ins Konferenzzimmer.

Zum ersten Mal sah ich sie alle beisammen. Am Kopfende des Tisches der Direktor mit meinem Heft. Ich hörte, wie sich hinter mir die Tür schloß. Die Lehrer sagten noch immer nichts und sahen vor sich hin. Der Tisch war mit einer grünen Decke bezogen. Durch das Fenster blickten die unteren Zweige eines Baumes, in dessen Blätter die Sonne schien. Ich hätte es besser nicht getan.

Räuspern. Das war der Herr Direktor, ich hörte es am tiefen Ton. »Du hast über deine Lehrer, welche sich alle Mühe geben, aus dir einen gebildeten und ordentlichen Menschen zu machen, unflätige Verse verbreitet.«

Ich fühlte, daß meine Arme rechts und links herunterbaumelten, aber ich konnte sie nun sonst nirgends hintun.

»Nun?«

»Nein«, sagte ich.

»Was heißt nein?«

»Ich habe sie ja gar nicht verbreitet, Herr Direktor, das war mehr unsere Minna.«

»Mit der Minna deiner Eltern haben wir hier nichts zu tun, sie ist nicht Schülerin unserer Anstalt.«

»Ja – nein. – Aber verbreitet habe ich es bestimmt nicht.«

»Du hast es geschrieben.«

»Doch, aber nur für mich allein.«

»Und was veranlaßte dich, derartiges niederzuschreiben?«

»Ich wollte üben, wegen meiner Handschrift.«

Mein Klassenlehrer schaltete sich ein: »Der Schüler hat im Schreiben mangelhaft.«

»Aber dann konntest du doch etwas anderes schreiben.«

»Mir fiel nichts anderes ein.«

»Du hast also nur daran gedacht, was, beziehungsweise wie du über deine Lehrer denkst.«

»Ich dachte – denken, nicht wahr, denken könnte man doch eigentlich alles.«

»Ein anständiger Schüler denkt nicht so von seinen Lehrern.«

»Ich wollte es ja auch nicht und bin auch dagegen angegangen, aber das Denken geht immer so weiter, ganz von selbst, und das kann man dann auch gar nicht abstellen.«

Schweigen. Denken.

Räuspern. Das war der Herr Direktor. »Weißt du überhaupt, was du geschrieben hast?«

»– – nein.«

»Du weißt nicht, was du geschrieben hast?«

»Nein.«

»Willst du sagen, daß du es vergessen hast?«

Ich nickte.

Räuspern. Diesmal alle.

Der Direktor nahm mein Heft in die Hand, schließlich öffnete er es: »Um dem Schüler seine Tat nochmal vor Augen zu führen, möchte ich ihm diese sogenannten Verse noch einmal vorhalten. – Der erste lautet: Dicker Bauch und kurze Beine –«

Der Geschichtslehrer unterbrach: »Herr Direktor, was dies Gedicht angeht – das brauchen Sie wohl nicht weiter vorzulesen.«

Die anderen Lehrer grinsten. Der Direktor schlug eine Seite um: »Na, dann der zweite Vers: Was prustet da und spuckt und zischt? Es ist der –«

Der Mathematiklehrer unterbrach: »Herr Direktor, das können wir, glaube ich, auch lassen – ich meinerseits – nehme das eigentlich gar nicht ernst.«

Der Direktor schlug eine Seite weiter: »Drittens: Er kratzt sich hinten, kratzt sich vorn und kratzt –«

Unser Religionslehrer unterbrach: »Ich denke, das gehört nicht hierher, und was meine Person angeht, so habe ich in christlicher Duldsamkeit dem Schüler längst vergeben.«

Der Direktor blätterte weiter. Nun mußte sein Gedicht kommen, und mir wurde ganz kalt im Rücken. Er blätterte aber weiter.

»Herr Direktor», meinte da der Turnlehrer, »Sie haben eines ausgelassen!«

»Ich stehe hier weniger zur Debatte«, sagte der Direktor und wollte das nächste Gedicht vorlesen.

»Ich schließe mich Ihnen an«, sagte schnell unser Französischlehrer.

Sie sahen alle aneinander vorbei.

»Ja dann –« Der Direktor sah mich noch immer dastehen, zwinkerte mir zu und befahl: »Geh mal solange in deine Klasse!«

Und dabei blieb es: Ich mußte weiter zur Schule.

Vati sagte, man ginge nicht zur Schule, um Erdkunde zu lernen, Deutsch und Mathematik, sondern vor allem das Wesen der Arbeit. Das hatte ich schnell raus, denn ich fand die günstige Mitte zwischen Aufwand und Wirkung. Die Techniker bezeichneten dies als ›optimalen Wirkungsgrad‹. Die Schule nennt es schlicht ›genügend‹. – ›Gut‹ ist natürlich besser. Aber dieser kleine Unterschied von einer Nummer verlangt einen unverhältnismäßigen Mehraufwand an Aufmerksamkeit und Schularbeiten.

So wurde ich ein mittelmäßiger Schüler.

Natürlich ist es schwer, stets den goldenen Weg der Mitte zu gehen, er ist schmal und man rutscht leicht ab, weniger nach oben als nach unten. Das ist ›mangelhaft‹. Es führt zu Komplikationen, die auch wieder in schlechtem Verhältnis zur Arbeitsersparnis stehen.

Um wieder ›genügend‹ zu werden, mußte ich mich auf den Hosenboden setzen, und da bei einem kleinen Jungen der Hosenboden in enger Beziehung mit dem Kopf steht, habe ich deshalb die Sachen am besten gelernt, in denen ich am häufigsten ›mangelhaft‹ hatte. Die Schule wollte das aber nie glauben.

Nur in einem Fach war ich den anderen turmhoch überlegen, ich hatte dafür ein angeborenes Talent. Leider stand es nicht auf dem Stundenplan: Zuspätkommen. Denn pünktlich sein kann jeder. Es gehört nichts dazu als die Angst, unpünktlich zu sein. Zuspätkommen ist die Schule des Künstlers, er lernt Geschichten erfinden, tragische und komische, er lernt die Kunst des Schauspiels, die Darstellung des Harmlosen, des Kranken oder des Zerknirschten.

Zuspätkommen tut man naturgemäß in der ersten Stunde. Und da hatten wir meist Englisch, das heißt jedesmal denselben

Lehrer. Infolgedessen war eines Tages mein Repertoir erschöpft.

Aber dann kam ich wieder zu spät.

Der Klosterkamp deklamierte gerade:

»Is this a dagger,
which I see before me
the handle towards –«

Nun mußte er aufhören und warten, bis ich die Tür hinter mir zugemacht hatte und mich in die Bank gequetscht und meine Mappe druntergeschoben und das Buch herausgezogen.

»Hast du mir nichts zu sagen?« fragte mich der Englischlehrer.

»Ich wollte nicht stören«, sagte ich und meinte es wirklich so.

Und weil es so still war, machte der Klosterkamp einfach weiter:

»The handle towards my hands
come, let me clutch thee –«

Und das ging weiter bis »– in form as palpable –« und bei ›palpable‹ mußten wir husten, weil der Klosterkamp das nicht aussprechen konnte, und wir auch nicht.

Das nächste Mal kam ich wieder zu spät. Meine Mitschüler hatten sich längst daran gewöhnt, nur mein Englischlehrer immer noch nicht: »Willst du nicht wenigstens einen Grund für deine Verspätung angeben?«

»Mein Spirituskocher ist explodiert.«

»Was machst du so früh am Morgen mit einem Spirituskocher?«

»Ich koche darauf meinen Tee. Unsere Minna hat einen Furunkel.«

»Ihr habt doch die Minna gar nicht mehr!«

»Ja, das ist es ja eben.«

»Paß das nächste Mal besser auf mit deinem Spirituskocher. – Boom!«

Boom: »Thou marshalst me the way,
that I am going, and such an
instrument I am to use. –«

Ich kam dann noch einmal zu spät. Der Englischlehrer saß auf dem Pult, und alle waren so still, daß ich mich nicht traute, bis zu meiner Bank zu gehen. Der Lehrer räusperte sich nicht einmal. Und ich dachte, wenn du jetzt was Neues sagst, glaubt er dir das mit dem Spirituskocher vom letzten Mal auch nicht mehr. Und ich sagte: »Der Spirituskocher ist wieder explodiert.«

»Ich hatte auch mal so einen«, rief der Spatz.

»Doch«, rief der Klosterkamp, »und wenn so'n Ding mal explodiert ist, dann tut es das immer wieder.«

Es ist wichtig, das Volk hinter sich zu haben.

»Bestell deinem Vater, er soll dir einen ordentlichen Spirituskocher kaufen, der des Morgens nicht explodiert.«

»And witchcraft celebrates
pale Hekates offerings,
and withered murder –«

Und dann kam ich abermals zu spät.

Mit so viel Spannung ist noch kein Held auf der Bühne empfangen worden.

Erbsmehl, der gerade stand, weil er dran war, setzte sich lautlos in seine Bank. Aus der Nebenklasse hörte man gedämpft den Geschichtsunterricht. Auf der Straße fuhr ein Auto vorbei.

»Ist – dein Spirituskocher – wieder – explodiert?«

Warum sollte er nicht wieder explodiert sein, wenn er das schon so oft getan hat? Statt dessen sagte ich: »Nein.«

»Nein?«

»Nein.«

»Und weshalb kommst du zu spät?«

Ich zuckte die Schultern: »Wegen gar nichts.«

Der Englischlehrer legte den Bleistift hart aufs Katheder: »Schämst du dich nicht?«

»Nein. Ich habe doch gar nicht gelogen.«

»Du sollst auch nicht lügen. Aber daß du dir nicht einmal die Mühe machst, einen Grund für deine Verspätung zu haben! ›Wegen gar nichts‹ ist ein bodenloser Zynismus!« Er öffnete das Klassenbuch und griff zum Füllfederhalter.

»Mein Spirituskocher ist doch explodiert!«

Er strich im Klassenbuch den Anfang wieder durch und schrieb neu: »Van Tast erhält wegen Belügens seines Lehrers einen Tadel.«

Mittags war die Schule aus, und dann hatte man keinen mehr, den man ärgern konnte, höchstens noch Schulaufgaben zu machen. Ein Schüler mit Charakter aber macht sie erst am nächsten Morgen. – So hat der Tag eine zweite Hälfte, mit der man tun und lassen kann, was man will. Und das ist ihr Fehler.

In meiner Not fand ich, daß es Schutzmänner gibt. Wie die Lehrer sind die Schutzmänner auch dazu da, daß man nicht tun kann, was man will; folglich sind sie zum Ärgern da. Man ärgert sie, wenn man etwas tut, was man nicht tun soll, weil sie dann etwas tun müssen. Man ärgert sie noch mehr, wenn man laufen geht, weil sie dann auch laufen müssen und an Würde verlieren. Am meisten ärgert man sie, wenn man etwas tut, was eigentlich nicht verboten ist, und was man dennoch nicht tun soll.

Es steht nirgends geschrieben, daß es verboten ist, um einen Schutzmann, der am heißen Frühnachmittag wachhabend über eine Allee geht, mit dem Fahrrad Kreise zu fahren.

Der Schutzmann verbat sich das.

Er kann aber nichts verbieten, was nicht verboten ist. Ich wußte das, denn mein Vater war doch Rechtsanwalt. Und so legte ich mit dem Fahrrad weitere Spiralen um den Schutzmann. Wenn er nach mir griff, wich ich aus und kam von der anderen Seite. Ich wußte auch gar nicht, was der Schutzmann dagegen hatte, denn es tat ihm ja nicht weh, und der Verkehr wurde nicht gefährdet, weil keiner da war.

Ich muß aber schon damals sehr berühmt gewesen sein, denn der Schutzmann wußte meinen Namen, und nach zwei Wochen erhielt ich eine Strafverfügung über zwei Mark siebzig, im Nichtbeitreibungsfalle hilfsweise einen Tag Haft.

Ich besuchte Vater in der Sprechstunde und wollte ihm das Mandat übergeben zum Erheben des Einspruches und zur eventuellen gerichtlichen Vertretung. Obgleich mein Fall aussichtsreich war und mein Vater Rechtsanwalt, lehnte er das Mandat ab. Aber die zwei Mark siebzig gab er mir auch nicht, die sollte ich vom Taschengeld bezahlen. Also ging ich zur Polizei und sagte, ich sei mittellos, und wollte lieber ›hilfsweise einen Tag Haft‹.

Die nächsten Tage wartete ich auf den grünen Wagen und wünschte, er käme des Morgens, wenn ich zur Schule müßte. Er kam aber nicht. Statt dessen klopfte eines Morgens ein Sextaner an unsere Klassentür. Ich stand gerade an der Tafel und kämpfte mit einer Tangente, die auf einem Hyperbelast schaukelte. – »Tast soll zum Herrn Direktor kommen.«

Ich war aber doch grade dran. – »Entschuldigen Sie«, sagte ich zum Katheder. Der randlose Kneifer unseres Mathematiklehrers blinkte verwundert, und aus Verlegenheit machte ich eine Verbeugung. Die Klasse lachte. – »Van Tast!« – Ich stoppte in der Tür. – »Wir sprechen uns nachher.« – Der also auch noch, dachte ich, so tut man immer etwas, ohne es zu wollen.

Wieder der Weg durch die leeren Gänge der Schule. Es war mir langsam peinlich, immer den Direktor belästigen zu müssen. Aber ich konnte doch nichts dafür, denn er war es, der immer anfing.

Die Schule war in Kenntnis gesetzt worden von meinem Antrag auf einen Tag Haft.

»Wenn es nur das ist«, entfuhr es mir, denn ich hatte ein gutes Gewissen.

Nur das? Der Direktor bekam Schwierigkeiten mit dem Luftkriegen: »Das – das – das macht man nicht! Und man – fährt auch nicht – mit dem Fahrrad immer um die Schutzmänner.«

»Es war nur einer«, verbesserte ich bescheiden.

»Das – macht man erst recht nicht!«

»Es ist aber nicht verboten, Herr Direktor. Und das mit dem hilfsweise Haft auch nicht, das steht sogar im Gesetz.«

Der Direktor seufzte. Ich durfte mich auf einen Stuhl setzen, der Direktor setzte sich auf einen anderen und rutschte damit an mich heran: »Ich verstehe nichts von der Juristerei, das sind Spitzfindigkeiten, mit denen hat ein ordentlicher Mensch (und das willst du doch werden) auch nichts zu tun – öh – beziehungsweise – von Rechtsanwälten abgesehen natürlich. Und ein Mensch, das heißt ein Mitglied der menschlichen Gemeinschaft, soll sich bemühen, den anderen Menschen nicht lästig zu werden, und vor allem der Schule keine Schwierigkeiten zu bereiten.« – Ich dachte, wer mag sich jetzt wohl oben mit der dummen Tangente ärgern? Und dann zitierte der Herr Direktor einen Spruch von einem Most, der sich noch so wild gebärdet, und dadurch nachher Wein wird, und fragte, wo das wohl stünde. Ich sagte aufs Geratewohl: »Faust«, denn das kann man nie widerlegen. Und wo der Direktor so lieb war, stand es bei mir fest, daß ich die zwei Mark siebzig bezahle, und ich zeigte auch schon Reue.

Aber dann fiel mir ein, daß ich ja keine zwei Mark siebzig mehr besaß, weil ich mir dafür eine Sirene fürs Fahrrad gekauft hatte. Das konnte ich ihm natürlich nicht sagen, denn Sirenen waren verboten. Und mit dem Taschengeld vom nächsten Monat ging es auch nicht, denn dafür mußte ich bereits eine Fensterscheibe bezahlen. Und auch das mußte ich verschweigen, denn sonst wäre er wieder traurig geworden. So blieb mir nichts anderes übrig, als die Reue schnell wieder abzustellen: »Herr Direktor, ich will die zwei Mark siebzig lieber absitzen.«

Vati mußte zur Schule. Wie immer, schickte er Mutti.

Der Direktor küßte ihr die Hand und erzählte ihr dann, daß ich mit meinem Fahrrad immer um einen Schutzmann gefahren sei.

»Um einen Schutzmann? Wie gräßlich!« rief Mama.

»Wieso gräßlich? Ach so – jawohl, gnädige Frau. Und nun besteht er darauf, seine Strafe im Gefängnis zu verbüßen.«

»Ist das wahr?« Meine Mutti strahlte: »Ja, er hat ein sehr ausgeprägtes Gefühl für Gerechtigkeit.«

Der Direktor schwieg ein bißchen und fuhr mit dem Daumennagel immer an der Uhrkette entlang. Dann sagte er: »Ich, beziehungsweise die Schule, wünsche das aber nicht.«

»Herr Direktor, wie lieb von Ihnen, beziehungsweise der Schule, daß Sie sich so für ihn einsetzen.«

»Bitteschön!« Der Direktor machte eine Verbeugung. »Dann wird er also endlich die zwei Mark siebzig Pfennige bezahlen?«

»Auch das noch?«

»Nein, nicht auch, sondern oder, beziehungsweise sonst muß er ins Gefängnis.«

»Aber Sie haben mir doch versprochen, daß Sie ihn davor beschützen.«

»Dann muß er die zwei Mark siebzig Pfennige bezahlen.«

»Das verstehe ich nicht, Herr Direktor, er hat ja gar nichts Schlimmes getan.«

»Gnädige Frau, man muß solche Dinge von der juristischen Seite betrachten –«

»Oh, Herr Direktor«, unterbrach meine Mutter und stand auf, »von juristischen Dingen verstehe ich gar nichts, ich hoffe, Sie nehmen mir das nicht übel.«

Nun kamen sie beide auf das Schlüsselloch zu, es wurde dunkel, und ich zog mich schleunigst zurück.

Als Mutti, vom Direktor stumm begleitet, an mir vorbeikam, knipste sie mir ein Auge.

Brief an meinen Vater.

Vati bezahlte noch immer nicht die zwei Mark siebzig Pfennige, weil er die Kreise um den Schutzmann nicht gefahren habe.

Brief an meinen Vater, die Anstalt könne keinen Schüler dulden, der ins Gefängnis käme.

Vati konnte sich der Meinung nicht anschließen, es handele sich lediglich um eine Ordnungsstrafe, die nicht ehrenrührig sei.

Dann holte mich unser Klassenlehrer in eine Ecke des Schulhofes. Er sei bereit, die zwei Mark siebzig Pfennige für mich auszulegen. Später solle ich sie von meinem Taschengeld in Raten abtragen.

Ich sagte, das erlauben meine Eltern nicht. Jawohl, weil ich doch keine Schulden machen dürfe.

Ich lebte weiter in der Spannung, wie ein Gefängnis aussieht und all die Gefängniswärter und Verbrecher, und machte bereits Entwürfe, was ich an die Wand ritze.

Vergebens. Irgendjemand muß es bezahlt haben.

Und vielleicht war das gut so, denn Vati war es langsam leid, immer Briefe an die Schule schreiben zu müssen, und noch mehr war es ihm leid, immer Briefe von der Schule zu erhalten. Er meinte, auf die Dauer ginge das nicht gut mit mir. Da sagte eines Tages Mama, er solle sich nicht ärgern, sondern lieber ein Buch darüber schreiben. Und nun mußte ich alles erzählen, was ich verbrochen hatte, einschließlich dem, was gar nicht herausgekommen war.

Wenn ich des Mittags aus der Schule kam, wurde ich in der Küche mit Spannung erwartet, Mama sah gerade nach dem Essen, und Vati war vom Gericht zurück und ging zwischen Eisschrank und Abwaschtisch auf und ab und stieß dauernd an irgendeinen Stuhl oder eine Schüssel. Und ich fand heraus, daß ich eigentlich viel zu brav war in der Schule, aber das durfte ich nicht zugeben, sondern mußte von nun an Geschichten erfinden. Das ist gar nicht so schwer, denn das Leben besteht aus unzähligen angefangenen Geschichten, man braucht sich nur vorzustellen, wie sie zu Ende gegangen wären, wenn –.

Und wenn ich etwas erzählte, was Papa gar nicht mehr komisch fand, sondern schon frech – die Wirkung ist vorher schwer zu erraten –, dann sagte ich schnell, das wäre ich nicht gewesen, sondern der Spatz oder der Boom. Und dann sagte Vati, der Spatz ist aber wirklich ein frecher Junge.

Vati wünschte, er könne selbst noch einmal zur Schule gehen, und weil er es nicht konnte, stellte er es sich vor und schrieb nun darüber das Buch. Aber keiner wollte es drucken. Vati, der sehr logisch ist, meinte, es sei sicher ein schlechtes Buch. Mutti hingegen zog sich eines Tages gut an und packte das Manuskript in ihre große Handtasche. Und als sie wiederkam, hatte sie bereits einen elektrischen Eisschrank gekauft auf Ratenzahlung, einen Photoapparat für mich, und für Vati einen neuen Hut.

Und so war ich mit meinem Leben zufrieden und stolz auf unser Zeitalter mit Röntgen und Radio, Straßenbahn und Gedankenfreiheit. Und immer war etwas los: die Kommunisten marschierten durch die Stadt und warfen die Fensterscheiben der Cafés ein, und dann kam die Polizei auf Pferden; die Nazis hielten Versammlungen ab und verprügelten Leute, die anderer Meinung waren. – Aber das alles war gar nicht aufregend, denn ich brauchte ja nicht mitzulaufen und Scheiben einzuwerfen, und ich brauchte auch nicht in die Versammlungen zu gehen und zu widersprechen. Sie hatten Redefreiheit, und wenn sie Unsinn redeten, dann würde ihnen doch keiner glauben.

Welch ein Fortschritt! In Büchern über dunkle alte Zeiten las ich, wie es früher einmal gewesen war, als Leute auf dem Scheiterhaufen brannten, weil sie nicht glauben wollten, was sie sollten, oder totgeschlagen wurden, weil sie andere Nasen hatten. Und wie es alle Augenblicke einen anderen Krieg gab, weil die Leute mit ihrem Land nicht auskamen; dann wurden Kinder und Greise niedergemacht und die Männer verschleppt. – Aber nun war auch der Krieg abgeschafft, der Völkerbund hatte ihn verboten.

Eines Abends gab es wieder Erbsensuppe. Vati sagte: »Iß die Erbsensuppe. Vielleicht kommt Hitler dran, dann gibt es Krieg, und du wirst noch einmal froh um eine Erbsensuppe sein.« Denn ich mochte keine Erbsensuppe. Und deshalb mochte ich auch den Hitler nicht. In diesem Augenblick drang durch die Fenster Paukenschlag und Marschmusik und zog vorbei. Stiefel hallten über das Pflaster, und die Stiefel nahmen kein Ende, und heisere Kehlen schrien: »Deutschland erwache!« Es war aber schon zu spät, denn Hitler war schon an der Macht.

Ich war zur Haustür gelaufen und sah die vorüberziehenden Fackeln. Ich hatte nie Angst vor einem Menschen gehabt, auch nicht vor Vati, Lehrer oder Schutzmann. Denn mit ihnen ließ sich reden, und notfalls konnte man sie auch beschwindeln. Aber an mir vorbei bewegte sich eine Masse im gleichen Schritt und in gleicher Richtung und sah nicht danach aus, daß man mit ihr reden könnte; sie würden einen gar nicht hören, weil sie alle schrien, sie würden weitermarschieren, weil es befohlen ist, und unerbittlich singen: Hängt die Juden, stellt die Bonzen an die Wand.

Ich war kein Jude und auch kein Bonze. – »Deutschland erwache!« schrien sie wieder. Es war kalt in der Haustür.

Spät am Abend, als ich längst im Bett sein sollte, kam noch ein Kollege von Vati zu uns, ein armer Teufel, der darunter litt, daß immer die Gegenpartei gewann. Aber heute, sagte er, würde das anders! Und auch er war plötzlich ein anderer geworden, klopfte Vati von oben herab auf die Schulter und erzählte, wie erhebend der Fackelzug war, und daß sie zum Haus eines Obersturmbannführers gezogen seien. Der hätte eine Rede gehalten. Eine Rede, die hätten die jüdischen Kollegen mal hören sollen!

»Sic sind also auch mitgelaufen?« fragte Vati nachdenklich und steckte sich eine Zigarette an, obgleich er sonst nie rauchte.

»Na ja«, der Kollege kratzte sich im Nacken, »ob ich nun mitlaufe oder nicht, das macht den Kohl auch nicht fett.«

»Doch«, sagte Papa, »stellen Sie sich vor, es täten alle!«

»Das ist ja die Gefahr«, sagte der Kollege, »nachher laufen die Dummköpfe alle mit, und nur man selbst ist nicht dabeigewesen und ist erst recht der Dumme.«

Auch in der Schule herrschte ein neuer Geist. Am Ende der Pausen konnten wir uns nicht mehr einfach in die Klassen begeben, sondern mußten uns aufstellen in Linie zu drei Gliedern, abzählen und Augen rechts! Und der Klassenbeste meldete dem Studienassessor, und der Studienassessor stand stramm vor dem Studienrat. Und der Studienrat nahm die Zigarre an die Hosennaht und gab das Kommando zum Einmarsch in die geistige Anstalt, zackig wie einst, als er noch Reserveleutnant war und statt des wohlsituierten Bauches einen stolzen Kohldampf schob.

Und Turnen wurde Hauptfach.

Ich war kein Recke am Reck, an dem man nicht hochkommt, und wenn man doch oben ist, weil die anderen nachgeholfen haben, in dauernder Gefahr schwebt, nach hinten oder vorn herunterzukippen. Und ich hatte auch nicht den richtigen Sinn für den Faustkampf, weil ich keinen Grund sah, mich nur zum Spaß ins Gesicht schlagen zu lassen, solange ich dafür einen anderen Körperteil frei hatte. Und ich hielt nichts vom Laufen im Zeitalter der Motoren. Unser Turnlehrer, der immer in Hosenträgern und Kragenknöpfchen den Unterricht abhielt, aber sagte, das sei wichtig für den Krieg. Ich verstand das falsch, und deshalb leuchtete es mir ein.

Und der Zeichenunterricht wurde zum Kunstunterricht befördert.

Was Kunst ist, wußte ich, denn meine Eltern hatten mich einmal in eine Ausstellung mitgenommen, und da gab es Bilder, wo Leute zwei Nasen hatten oder das eine Auge am Bauch. Und darum, dachte ich, wird es nun leichter mit dem Zeichnen, denn wir dürfen Kunst machen, und es kommt gar nicht mehr darauf an, wo die einzelnen Sachen sitzen, und ob die Köpfe viereckig sind oder überhaupt nicht, wenn es nur lustig aussieht.

Aber der Jahn, unser Zeichenlehrer, hatte den Hitler anders verstanden. Aus einem großen Schrank holte er ausgestopfte Vögel, stellte sie vor uns hin und sagte: beim Malen käme es auf das Auge an. – Und nun mußten wir die Glasaugen der verstaubten toten Vögel zeichnen, denn im Auge läge die Seele, das sähe man zum Beispiel auch bei unserem Führer.

Ich war als erster fertig, schrieb säuberlich in die untere Ecke meinen Namen, und Untersekunda, und gab das ab.

Der Jahn drehte das Blatt ein paar Mal herum, dann schlug er das Klassenbuch auf, steckte seinen Füllhalter aber wieder zurück in die Weste. Und sah mich komisch an und sagte: »Von einem Eintrag will ich absehen; ich habe immer schon den Verdacht gehabt, daß du an gewissen Störungen leidest. Aber versuch doch mal, mir zu erklären, warum du nur einen Punkt gemalt hast.«

»Das ist das Auge meines Vogels!« Ich reichte ihm meine ausgestopfte Lerche. Die hatte nämlich kein Auge, sondern nur noch ein winziges Loch, wo einmal der Pinn von dem Glasauge gesteckt hatte.

Weil nach wenigen Zeichenstunden die anderen Vögel aber auch keine Augen mehr hatten, beschloß der Jahn, mit uns von vorn anzufangen. Er führte uns in den Hofgarten, und wir mußten alle auf die Erde sehen, wo abgebrannte Streichhölzer lagen. Und der Jahn gab uns auf, die abgebrannten Streichhölzer zu malen, so naturgetreu, daß man den Eindruck habe, als könne man so ein Streichholz vom Zeichenblock picken.

Ich war wieder als erster fertig, signierte mein Werk und gab es ab. Da rief der Jahn, die anderen sollten mal alle aufhören und herkommen und sagte, ich sei in Wirklichkeit recht begabt, wenn ich nicht gerade dummes Zeug im Kopfe hätte. Und ob das nicht aussähe wie ein richtiges Streichholz auf Zeichenpapier. Aber während er das sagte, war die Spucke getrocknet, und mein Streichholz rollte vom Block.

Ich erhielt eine Ohrfeige, die sang noch etwas und ging dann vorüber.

Wir hatten aber einen unter uns, der verachtete mich und sagte: »Jeder erntet, was er sät.« Und hatte nach einer Stunde ein Streichholz gemalt, so schön und genau – ein wirkliches Streichholz war nichts dagegen! Er hielt dem Jahn seinen Block hin und grinste vor Eigenlob: »Herr Studienrat, sieht das nicht aus wie ein wirkliches Streichholz?«

»Jawohl«, schrie der Jahn, hielt es wieder für Spucke, schlug dem Heini Schmitz den Zeichenblock um die Ohren und trug ihm eine fünf ein.

In der nächsten Stunde setzte mich der Jahn weit weg von den anderen ganz hinten in den Zeichensaal, nahe den Schränken, nahm mir den Zeichenblock ab und gab mir ein dickes Buch mit Leinenrücken, und darin sollte ich eintragen, was sich in den Schränken befindet, damit ihm nichts wegkommt.

Im ersten Schrank waren die Vögel. Von jeder Sorte einer, nur von der Möwe waren zwei, und weil ich nicht in das Buch schreiben konnte, noch eine Möwe, und sie etwas größer war als die erste, nannte ich sie zur deutlichen Unterscheidung Riesenmöwe. Zu meinem Unglück fand ich noch eine – Mammutmöwe. Und als ich die Möwen hinter mir hatte, stand da noch frech eine vierte, die war aber nicht größer, sondern genau wie die anderen und wackelte auf dem Holzbrettchen. Eine ausgeprägte Wackelmöwe! So bekam ich Selbstvertrauen und schuf ein neues Tierreich, mehrte die Eidechsen zu einem Reich von Zwischendechsen, Überechsen bis zum Ichthyosaurus minimax.

Zwischendurch kam der Jahn nachsehen, lobte meine Kenntnisse und wollte mir beinahe das schlechte Zeichnen verzeihen.

Im zweiten Schrank waren Tontöpfe. Ich griff beherzt hinein und schrieb: Topf. Krug. Napf. Vase. Gefäß. Und dann war da noch ein Gefäß, noch viele Gefäße, häßlich und windschief, wie in alten Museen: Fränkischer Hirsetopf (103 v. Chr.?) Alemannisches Sakralgefäß (105 v. Chr.?) Sächsischer Salbtopf (etwa 7 n. Chr. – römischer Einfluß?).

Als der Jahn las, was ich geschrieben hatte, nahm er den sächsischen Salbtopf, drehte ihn in den Händen, stellte ihn ganz behutsam zurück auf den Tisch und hatte einen roten Kopf vor Aufregung. Dann eilte er hinaus.

Und ich wußte, daß er nun zum Direktor läuft und ihm von den kostbaren Töpfen erzählt. Und der Direktor würde ihm sagen, daß die Tontöpfe nichts als Tontöpfe sind, ehemalige Schülerarbeiten, als die Schule noch einen Keramikofen hatte und der Jahn woanders war.

Der Jahn kam nicht wieder.

Es klingelte zur Pause. – Nach der Pause hatten wir Deutsch. Auch der Deutschlehrer kam nicht. Ich sah hinaus auf den Gang; die anderen Türen standen ebenfalls noch offen, Sextaner lugten um die Ecken und irgendwo flog bereits ein Turnschuh durch die Luft. In den Klassen wurde es laut und lustig.

Ich werde den Lehrern sagen, das mit den Sakralgefäßen hätte ich selber geglaubt. – Aber sie riefen mich gar nicht. Sie verhandelten ohne mich und gaben mir nicht die Möglichkeit, mich zu verteidigen.

Da lief ich die einsamen steinernen Treppen hinunter bis zum Konferenzzimmer und hörte durch die Tür durcheinander die Stimmen der versammelten Lehrer. Mein Klopfen vernahmen sie nicht. Die Angst machte mich mutig: ich klinkte die Tür auf und stand ihnen gegenüber. Die Stimmen brachen ab. Über dem Tisch hing dicker Zigarrenqualm: »Ja, bitte?«

Ich sagte: »Da bin ich.«

»Was willst du hier?«

Ich sagte: »Ich möchte auch gehört werden.«

Empörung und Gelächter: »Soweit kommt das noch, daß wir erst unsere Herren Schüler fragen.«

»Nein«, sagte ich, »die anderen nicht. Ich habe es ganz allein getan.«

»Was?«

Was? – »Das«, sagte ich – –

»Das ist nicht der Rede wert«, meinte der Jahn.

Und der Direktor sah ungeduldig auf die Uhr: »Meine Herren, fahren wir in unserer Besprechung fort. Für die Umbenennung unserer Anstalt stehen nun zwei Vorschläge zu Debatte: Skagerrak-Schule oder Schlageter-Gymnasium.« –

Im nächsten Jahr mußten die Lehrer Sie zu uns sagen, nur zu Hause wurde ich noch immer Bubi gerufen. Aber für die Sommerferien war mir eine Reise nach England versprochen, wenn ich eine Zwei in Englisch bekäme.

Kleinigkeit! dachte ich und zeigte dauernd auf. Da erkannte mein Englischlehrer, wie wenig ich in Wirklichkeit wußte, und mir drohte eine Vier. – So setzte ich mich des Nachmittags im Hofgarten auf eine Bank, und während um mich herum die borstigen Sträucher zartgrüne Blättchen entrollten, städtische Parkwächter eiserne Papierkörbe aufstellten und wohlsortierte Tulpen in graden Reihen blühten, machte ich mich über die Vokabelhefte her und lernte mit wütender Ungeduld unseren englischen Wortschatz auswendig: Schwertknauf, Belagerung, Helmbusch, einen Übergang erzwingen, Scharnier am Panzerhandschuh. – Denn im Englischen lasen wir gerade eine sehr alte Geschichte von zwei mutigen Kindern, die einer Widerstandsbewegung angehörten, als die Normannen England eroberten.

Auf dem anderen Ende der Bank saß eines Tages ein alter jüdischer Herr und der meinte, mit diesen kriegerischen Vokabeln könne ich in England nichts anfangen, denn die Engländer seien heute ein friedliches Volk und trügen keine Panzerhandschuhe. Und er schenkte mir statt dessen eine Aktentasche voll englischer Kriminalromane, und ich lernte darin: Abzugsbügel am Revolver, lautlos in sich zusammensinken, Selbstmord und einen Panzerschrank knacken. – Diese Worte aber halfen mir wieder wenig bei der Übersetzung der mutigen Kinder, und so bekam ich wieder eine Drei. – »Siehst du«, sagte Mutti zu Vati, »nun muß er wirklich nach England, damit er Englisch lernt und endlich eine Zwei bekommt.«

Die Eltern schrieben an einen englischen Freund in London und zugleich an die Deutsche Bank wegen der Devisen. Dann reisten sie in die Sommerfrische, und ich mußte warten. Der alte jüdische Herr schenkte mir zum Abschied eine Pfundnote; er hatte einmal auswandern gewollt, aber es sich anders überlegt, denn einem so alten Mann, wie er sei, täten die Nazis bestimmt nichts, meinte er. Ich meinte das auch und freute mich über das Pfund und dachte, auf deutsch sind das zwanzig Mark oder vier Monate Taschengeld. So packte unser Mädchen meine Koffer und kaufte mir von ihrem Geld eine karierte Schirmmütze, die bekanntlich die Kopfbedeckung der Engländer ist. Und ich besorgte mir ein Heftchen bunter Fahrscheine. Und die Devisen würden schon kommen. Und der Freund in London würde sich freuen.

Erst fuhr ich durch Holland. Dort regnete es.

Als die Eisenbahn nicht mehr weiter konnte, trug ich meine Koffer auf ein Schiff, eigenhändig, denn ich wollte mich von meinem lieben Pfund nicht trennen. Aber zu einer Seereise, das wußte ich vom Kino her, gehört ein Liegestuhl. Er kostete einschließlich Bringen und Aufstellen einen Shilling, das erste Zwanzigstel meines Vermögens. Ich legte mich lässig hinein, machte lange Beine und achtete darauf, daß meine karierte Mütze nicht schief rutschte, wenn ich mit dem Kopf hinten anstieß. Ein Steward bot Butterbrote an, die dreieckig waren und Sandwiches hießen. Das zweite Zwanzigstel meines Vermögens. Und damit begann die Verschwendung, denn das Schiff ging nach oben – was nicht schlimm war – aber dann ging es wieder nach unten. Aber mein Sandwich wollte nicht wieder herunter, sondern heraus. Und auch von dem Liegestuhl – dem anderen Shilling – hatte ich den Rest der Reise nichts. – Am Abend schaukelte das Schiff nicht mehr, aber immer noch wollten Sandwiches heraus, die ich nicht einmal gegessen hatte.

Ein Mann mit Mütze nahm mir meine Koffer weg. Ich folgte ihm willenlos, fühlte hart und unwirklich wieder festen Boden unter mir, englischen Boden natürlich, kam in ein Haus – *Bitte nicht rauchen* – und geriet an einen Herrn in blauer Uniform. Er wollte wissen, ob ich Geld hätte.

»Nein«, beteuerte ich.

Dann müsse ich wieder zurück aufs Schiff. – Aufs Schiff hatte er gesagt! – »Geld? Ach so, doch, natürlich.« Und ich erzählte ihm von meiner Hoffnung auf Genehmigung des Devisenantrages. Das ließ ihn kalt. Meine achtzehn Shilling auch. Ich erzählte, daß ich in London einen reichen Freund hätte. Nun bat mich der Beamte, englisch zu sprechen; sicher meinte er, daß man in Englisch nicht lügen kann, denn er war selbst ein Engländer. Ich sagte ihm die Wahrheit und wurde unsicher dabei und machte im Englischen auch bestimmt viele Fehler. Da drückte er lächelnd den Stempel in meinen Paß.

Ich stieg in den Zug und wartete, daß er abführe. Mir war noch ganz schlecht. Der Mann mit der Mütze riß die Tür auf, bumste meine Koffer ins Abteil, redete mich mit Sir an – mit Sir! – und hatte zwei Shilling zu bekommen. – Da waren es nur noch sechzehn.

Der Zug fuhr. Ein Herr mit Jägerhütchen, der deutschen Brinkmanntabak rauchte, riet mir auf englisch, in den Speisewagen zu gehen. Da waren es nur noch elf.

Um Mitternacht fuhr der Zug in London ein. Ich versuchte mich gegen einen neuen Mann mit Mütze zu verteidigen, er war mir aber im Englischen über, trug meine Koffer in ein Taxi und fragte nach meinem Hotel. Jenseits der hohen Bahnhofsmauern brauste eine Weltstadt; sie kostete sicher viel Geld. Ich gab dem Chauffeur die Adresse unseres englischen Freundes. Und dann hielt das Taxi nicht vor einem stillen großen Haus in Mayfair, wie sonst die Taxi in meinen Kriminalromanen, sondern in einer Straße, wie es sie in aller Welt gibt, unten Schreibwarengeschäfte und Gemüseläden und weiter oben vereinzelt erleuchtete Fenster.

Es öffnete keiner. Der Chauffeur hupte. Ein alter Mann mit Kappe erschien in der Tür. Sie sprachen miteinander und blickten zu mir hin. Der Gentleman sei leider verreist. Nach Germany. Zur Schwarzwald. For drei Tage nur. – Drei Tage würde ich noch aushalten können. – Und dann er wird reisen nach Austria. For einen Tag. – Vier Tage würde ich es auch noch aushalten können. – Und dann er wird reisen to Italy.

Ich bat den Taxichauffeur, mich in ein billiges Zimmer zu fahren. Aber bis zu den billigen Zimmern war es noch viel weiter, denn als ich ankam, besaß ich nur noch sieben Shillinge. Und fünf Shillinge verlangte eine englische Dame in Lockenwickeln und Filzpantoffeln, und sie führte mich in ein Zimmer. Ich war am Ziel und setzte mich auf die Bettkante. In England haben die Türen keine Klinken, sondern Drehknöpfe, stellte ich fest, die Vorhänge sind aus geblümten Stoffen, und es riecht ein wenig dumpf.

Als ich am nächsten Morgen ins Badezimmer wollte, war es besetzt. Ich tapste zurück in mein Zimmer und sah mir London schon einmal vom Fenster aus an: eine endlose Reihe gleichaussehender grauer Häuser, auf den Dächern wimmelten kleine Schornsteine, einzeln und in Gruppen, weil bekanntlich jedes Zimmer einen Kamin hat. Und im Trottoir waren Löcher gelassen, aus denen schwächliche Bäume wuchsen.

Das Badezimmer war noch immer besetzt.

Auch mein Zimmer hatte einen Kamin. Auf dem Rost lagen zwei Buchenscheite, aber schon sehr, sehr alt und abgenutzt, und wenn man einen Schalter knipste, gingen darunter zwei rote Glühbirnen an. Und in den Ziegelsteinen fand ich eine eiserne Klappe, man konnte einen Gaskocher herausziehen, in den man einen Penny werfen mußte. Ich konnte es nicht lassen und sah zu, wie er fünf Minuten funktionierte und dann ›Pöh‹ machte und ganz von selbst wieder ausging. Ich schlich wieder zum Badezimmer und lauschte. Die Engländer sind im Baden sehr gründlich: ich hörte plätschern, bürsten, kratzen und schaben. Ich fror und klopfte. »Come in«, riefen mehrere Stimmen, männliche und weibliche, durcheinander. Ich dachte, vielleicht ist das so wie in Schweden und ging hinein. Junge Männer in gestreiften Jacken und Flanellhosen, typische Engländer, junge Damen in dezenten Pullovern und auf flachen Absätzen standen durcheinander, wuschen Pinsel in Terpentin, schabten Paletten und kreideten gerahmte Leinwand. Der Taxichauffeur hatte mich in ein Boarding-House für arme Maler gebracht. Und weil sie alle einmal in Paris gewesen waren, sprachen sie mich auf Französisch an. Darauf war ich nicht vorbereitet und putzte mir nur schnell die Zähne.

Dann steckte ich mir meine Pfeife an, die ich mir für die Reise gekauft hatte, damit ich in England nicht so auffalle, und trat hinaus auf die Straße, um mir London anzusehen.

Ich konnte aber laufen wie ich wollte, ich geriet immer wieder in dieselbe Straße mit denselben Häusern und den dünnen Bäumen. Nur hatte sie jedesmal einen anderen Namen! – Es wurde mir unheimlich, und ich beschloß zu frühstücken. Gegenüber sah ich ein Public House, was aber nur Schenke bedeutet, und sicher nicht so teuer ist. Es hatte zwei Türen, ›saloon-bar‹ und ›public-bar‹. Im Metoula-Sprachführer fand ich, daß saloon-bar für gentlemen sei, und die public-bar für men. Aus der public-bar trat ein Mann, der auf deutsch aussah wie ein Kerl, und ich fragte ihn, in welche Tür ich gehöre, for men oder for gentlemen. Er wischte sich das Bier aus dem Schnauzbart und musterte mich. Man oder gentleman? – Ausländer, entschied er. Beleidigt öffnete ich die Tür ›saloon‹. Sie führte direkt ins Lokal, aber in den kleineren Teil, wo der Tisch eine Tischdecke hatte und die Stühle Polster for the Gentlemen.

Der einsame Wirt reichte mir eine abgegriffene feuchte Karte mit Preisen. Ich ging wieder hinaus und dann wieder hinein in die Tür ›For Men‹ und befand mich nun auf der anderen Seite des Schanktisches, dem größeren Raum mit harten Bänken, und erwartete eine Karte für das einfache Volk. Aber der Wirt langte von jenseits dieselbe Karte mit denselben Preisen und zwei Spalten Vokabeln, die wir in der Schule nicht gehabt hatten, abgesehen von: beer und Sandwiches.

Während ich mein Bier frühstückte, überlegte ich mir, was man sich in London ansehen muß. – Das Britische Museum? Das läuft mir nicht weg. – Den Tower? Der kostet bestimmt Eintrittsgeld. – Das Parlament? Nee, dachte ich, die haben vielleicht gerade eine Konferenz. – Ich fragte den Wirt.

Das Albert-Denkmal!

Es sah aus wie die Geburtstagstorte eines übergeschnappten Konditors: Es besteht aus Prinz Albert selbst und fünfhundert allegorischen Leuten, die das Denkmal übervölkern, sich kaum zu lassen wissen, allegorische Sachen tragen und allegorischen Beschäftigungen nachgehen, die dem Prinzen Albert offenbar sehr gefallen.

Als ich nach Hause kam, lieh mir die Wirtin meine fünf Shillinge wieder zurück und machte mir Bratkartoffeln. Es waren bestimmt echt englische Bratkartoffeln, und ich bekam etwas Heimweh.

Am zweiten Tag in London sah ich mir London wirklich an: den Buckingham-Palast, die Westminsterabtei, Kronjuwelen und Schafott im Tower, alles von meinem Zimmer aus in zweiundsechzig Abbildungen, denn die Wirtin hatte mir ein Buch geliehen: ›London-views‹.

Am dritten Tag ging ich zu Fuß los, um vielleicht noch etwas zu entdecken, was nicht im Buch stand. Ich geriet an eine Stelle der Themse, wo arme Männer auf dem Boden saßen, die hatten mit bunter Kreide Bilder auf die langen Pflastersteine des Trottoirs gemalt: stolze Segler zwischen haushohen Wogen, ein zu lang geratener Tiger, der im Dschungel einem englischen Sportsmann den Kopf abbeißt, oder einen schönen Mädchenkopf. Und daneben lag jeweils eine Kappe, in welche die besseren Leute, die vorübergingen, manchmal einen Penny warfen. Mir gefiel am besten das Bild eines Blinden, dessen Mittel für farbige Kreide nicht reichten, sondern der mit weißer Schulkreide eine Winterlandschaft gemalt hatte, schrecklich einsam, und mitten darin lag – mit Preßkohle gemalt – so etwas wie ein toter Vogel. Und darunter stand in Blockschrift: ›Den ganzen Sommer sang die Lerche, aus Liebe zu den Menschen blieb sie auch im Winter. Das war ihr Tod.‹

Ich sprach den Blinden an, um ihn zu trösten: Das sei ein wunderschönes Bild. Er fand es auch. Aber es sei keine Kunst von Bestand, seufzte er, und bliebe nicht der Nachwelt erhalten. Denn jeden Abend, wenn es dunkel sei, gingen achtlose Füße über die Bilder hinweg, jeden Morgen müsse er wieder von vorn anfangen und käme deshalb nicht weiter. Ich griff in meine Hosentasche, in der ich – weil es die Engländer so haben – lose mein weniges Geld trug und warf eine Münze in die zerlumpte Kappe. Als ich weitergegangen war, faßte ich noch einmal in die Hosentasche und entdeckte, daß ich aus Versehen mein letztes Zwei-Shilling-Stück hergegeben hatte und nur noch einen Penny besaß.

Ich ging zurück zu dem Blinden: »Excuse«, und ich hätte mich geirrt, es hätte nur ein Penny sein sollen.

Ich hätte ihm auch nur einen Penny gegeben.

Ich untersuchte die Kappe, es war wirklich nur ein Penny darin. Da zeigte ich dem Blinden meinen Penny und kehrte meine Hosentasche um. Er sah das ein und gab mir mein Zwei-Shilling-Stück zurück. Und schenkte mir dazu noch ein zweites Zwei-Shilling-Stück. Aber damit müsse ich vorsichtig sein, denn er wisse nicht ganz genau, ob es echt sei.

Ich wanderte weiter, die Themse entlang, die wie alle Flüsse von oben nach unten fließt. Aber mit einemmal sah ich, daß sie aufgehört hatte und still stand. Es war fünf Uhr, die Teezeit der

Engländer, und ich ging in ein winziges Café und aß vier winzige Stückchen Kuchen. Ich zahlte, und ich schwöre, ich wußte wirklich nicht mehr, welches das Zwei-Shilling-Stück vom Blinden war. Und als ich wieder herauskam, floß auch die Themse wieder, diesmal aber sogar von unten nach oben. Die Engländer sind ein praktisches Volk, dachte ich, so brauchen sie nie gegen den Strom zu schwimmen, sondern warten immer nur den richtigen Zeitpunkt ab. Und vielleicht machen sie es in der Politik ebenso, wenn Ebbe oder Flut ist.

Am Abend war mein Geld noch immer nicht da.

Am fünften Tag hatte ich schon ganz das hagere Aussehen eines Engländers und wollte auch nicht weiter zu Fuß laufen, sondern ging nur noch bis zum Hydepark und setzte mich auf einen der tausend Klappstühle. Aber sogleich kam ein Mann herangehumpelt, denn das Sitzen kostete einen Penny. Ich wollte wieder aufstehen, aber dadurch wurde es nicht mehr billiger. So trennte ich mich von einem meiner Pennies und beschloß, ihn gut auszunutzen und sitzen zu bleiben. – Es wurde Mittag, aber ich unterdrückte das Lunch und saß weiter meinen Penny ab, denn wenn ich weggegangen und wiedergekommen wäre, hätte es einen neuen gekostet. Von meinem Stuhl aus sah ich, welch ein freies Volk die Engländer sind, denn sie dürfen quer über den Rasen gehen. Und ich sah auch viele Hunde, für die im Park besondere Trinkgefäße aufgestellt sind, denn in England sollen die Tiere nicht leiden. Und ich sah englische Nursen und die Babies, die noch keinen Unterschied in der Sprache kennen und in den Geräuschen, die noch unverdorben sind und ohne Nationalstolz. Und wenn sie schon laufen können, dann wackeln sie zu den vorbeigehenden Herren und fragen nach der Uhrzeit, wie bei uns zu Hause im Hofgarten, und dann gehen die Nursen zu den Herren und entschuldigen sich wegen der Belästigung und lächeln ein bißchen dabei.

Ich saß auch den ganzen Nachmittag, und ich saß auch noch länger, abwechselnd ein wenig mehr auf der rechten und dann wieder ein wenig mehr auf der linken Seite. Und ich kann sagen: es war der am härtesten verdiente Penny meines Lebens.

Die Stühle wurden leer. Drei Plätze weiter nur saß noch eine junge Lady; sie zeichnete in einem Skizzenbuch und war schmal und schön wie eine gotische Madonna, nur moderner und noch viel vornehmer. Und als sie sich einmal das Haar aus der Stirn strich, sah sie zu mir herüber, lächelte und grüßte mich.

Mein Herz klopfte bis ins Kinn. In England grüßt die Dame

zuerst den Herrn. Aber daß sie auch grüßt, wenn sie ihn gar nicht kennt, hatte man uns in der Schule verschwiegen. – Vielleicht war ich ihr besonders sympathisch, und ich versuchte mir vorzustellen, wie ich eigentlich aussehe im Gesicht und so. Und als sie sich das nächste Mal das Haar aus der Stirn strich, stand ich auf und machte eine Verbeugung. Sie lächelte abermals. Da wäre ich so gern zu ihr gegangen, ohne Rücksicht auf den Penny! Aber das tut man doch nicht. Und vor allem nicht in England! Oder doch?

Frauen wollen erobert sein. Dazu gehört Mut. Aber wenn man mutig ist, sind die Frauen vielleicht beleidigt und wollen sicher, daß man sie respektiert. Und wenn man sie respektiert, kriegt sie bestimmt ein anderer, der mutiger war. – Aber wie sollte ich mutig sein, wenn mir die Vokabeln dazu fehlten. Ich konnte nur die Worte, die die mutigen Kinder sprachen, die den Normannen Widerstand leisteten, und die Vokabeln aus den Kriminalromanen; aber hier knirschte kein Panzerhandschuh und kein Inspektor von Scotland Yard hatte mit unserer Liebe zu tun.

Doch sie hatte gelächelt! Ich zog die Füße an, um aufzustehen – soll ich oder soll ich nicht?

Das Schicksal mag es entscheiden: Wenn als nächstes ein Mann vorbeikommt, lasse ich es bleiben, wenn es aber eine Frau ist, dann soll es ein Zeichen sein, und ich wage es.

Als nächstes kam ein Pärchen vorbei. Und ehe mir das Schicksal ein deutliches Zeichen gab, klappte die junge Lady den Zeichenblock zu, stand auf und schritt davon.

Ich marschierte hinterdrein und wußte gar nicht, wo das hinführen soll. Aber ich war glücklich, hinter ihr herlaufen zu können und sie immer von hinten zu sehen. Es ging an Marble Arch vorbei, wo ein alter Mann zum Volk redete und die Bibel widerlegte, und ein anderer den Engländern sagte, daß die Regierung alles falsch mache. Es ging durch das Gewühl des abendlichen Verkehrs. Piccadilly, Bondstreet und Oxfordstreet. Langsam taten mir die Füße weh, denn zu Hause war ich nur Radfahrer, und ich bedauerte, nie am Wandertag teilgenommen zu haben, den wir jedes Jahr einmal hatten. Und dann ging es mir mit einemmal auf, daß sie nur deshalb so lange lief, weil sie wußte, daß ich hinter ihr war, und weil sie mir eine Gelegenheit geben wollte. Ich sah eine Blumenfrau und kaufte von meinem letzten Geld das kleinste Veilchenbukett. Und fand die Lady nicht wieder.

Als ich arm und müde nach Hause kam, war das Geld da. Dennoch aß ich nicht zu Abend, sondern setzte mich an das Fenster und knipste kein Licht an, sondern sah hinaus auf den dürren Baum, in dessen spärliches Laub eine Straßenlaterne schien. Manchmal gingen Menschen vorüber, und ich fand alles unsagbar romantisch. Und alle halbe Stunde hielt vor dem Haus ein zweistöckiger Autobus, und sein Licht erhellte für eine Minute mein Zimmer. – Nun hatte ich Geld für tausend Stühle im Hydepark, oder einen Stuhl täglich an tausend Tagen, und ich würde so lange hingehen, bis ich sie wiedersähe und vielleicht würde das schon morgen sein. Mein Herz schlug höher, und mir war danach zumute, ein Gedicht zu machen. Ich hatte darin keine Übung, und vor allem wollte ich es auf englisch dichten. So wanderte ich, den Füllfederhalter in der Rechten, den Block mit Briefpapier und den Metoula-Sprachführer in der Linken, in meinem kleinen Zimmer auf und ab.

Jemand klopfte an die Wand. Was störte es mich, daß jemand an die Wand klopft! Ich liebte und brauchte ein Wort, das sich auf ›wonderful‹ reimt. Ich ging wieder ans Fenster und blätterte im matten Schein der Straßenlaterne den ganzen Sprachführer durch, der eingeteilt war in Reise, Kleidung, Apotheke, Verkehrsmittel. Ich ersetzte ›wonderful‹ durch ›beautyful‹, vielleicht ist es dann leichter, und stampfte wieder durchs Zimmer.

Es klopfte böser. Was versteht dieser Trottel nebenan von Lyrik?

Es klopfte an der Tür. »Yes please«, rief ich zornig.

Undeutlich stand da eine von den verrückten Malerinnen und fauchte: »Can't you stop walking?«

»No«, rief ich, und: »My home is my castle.« Das hatten wir in der Schule gelernt.

Aber sie sagte, das hier sei keine Burg, sondern ein möbliertes Zimmer, und ich solle Rücksicht auf die Ladies nehmen.

»Ha, ha, ladies«, lachte ich englisch.

In der Tür schwieg es gekränkt. Und dann sagte sie etwas, wovon ich viele Vokabeln nicht mitkriegte, nur daß ich sonst ein so netter Junge sei und immer lustig, und etwas von helfen können oder Tee bringen.

Da tat es mir leid. Und ich sagte: »O yes«, und: »I beg your pardon«, und ich mache nur ein Gedicht.

»Ouh, ein Gedicht. Sind Sie in Liebe?«

»Ich? Ouh, nicht so sehr. Aber die young lady natürlich.«

Ouh, woher ich das wisse.

Ouh, sie sagte mir dies.

Ouh! – Und nun wüßte sie auch, warum ich so lange im Hydepark gesessen hätte.

»Haben Sie mich gesehen? Haben Sie auch gesehen die young lady neben mir?«

»Ouh!«

Erst war es still in der Tür und dann lachte es. In diesem Augenblick hielt draußen wieder ein Bus, und in dem gelben Licht, das durch die Fenster drang, sah ich meine Besucherin: Es war die gotische Madonna, die nun lachte und englisch sprach. Sie trat noch einen Schritt ins Zimmer, und die Tür klappte langsam und von selbst hinter ihr zu.

Am nächsten Morgen genierte ich mich etwas vor der Wirtin. Aber zugleich war ich stolz und hätte ihr beinahe alles erzählt, weil sie vielleicht doch nicht ganz alles wußte. Und ich kam auf den Gedanken, daß ich nun alt genug sei, mich zu rasieren.

Zehn Minuten später betrat ich ein Friseurgeschäft und verlangte einen echt englischen Rasierapparat. Mein Auge fiel auf einen, der war viel kleiner und viel schmaler als die anderen, aber sicher praktisch für die Reise und etwas anderes als das Übliche. In Deutschland würde er Aufsehen erregen. – Der Verkäufer war erst erstaunt über meinen Geschmack, aber dann sagte er: »Oh, I understand«, und redete mir soviel zu, daß ich nichts mehr verstand. Und ich sagte immer »Yes, yes«, weil ich froh war, daß wenigstens er mich verstand. – Stolz zog ich mit dem Rasierapparat zurück auf mein möbliertes Zimmer.

Ich seifte mich ein, bis mir der Schaum in die Nasenlöcher geriet und ich nieste, und dann führte ich den englischen Rasierapparat vorsichtig über die Backe. Es tat weh. Und im Seifenschaum war eine rote Bahn. Ich setzte neu an und tat einen mutigen Ruck. Ich wischte mir die Tränen aus den Augen und fand am Rasierapparat ein feines Röllchen Haut. Ratlos legte ich das Ding auf den Waschtisch. Vielleicht lese ich doch erst lieber die Gebrauchsanweisung. Ich setzte mich auf die Bettkante, der Seifenschaum wurde kalt, und es zog im Gesicht. Die Gebrauchsanweisung begann: Firma Henkel-Solingen!

Unter Hinzuziehung des Wörterbuchs entzifferte ich den ersten Satz: »Vor Gebrauch man wasche den Fuß und stelle ihn in ein warmes Seifenbad für fünf Minuten.« Was zuerst englisch war, schien mir nun spanisch zu sein, denn warum sollte es im Gesicht weniger weh tun, wenn man saubere Beine hat? Man könnte es mal versuchen, aber vorerst übersetzte ich weiter:

»Darauf – man nehme das Instrument ANTICOR – wohl gewußt in all der Welt und ziehe dies unter leichter Pressung über – der die das –?« Moment! – Wörterbuch!

»Hühnerauge!«

Ich putzte den Hühneraugenschaber alias Rasierapparat wieder schön sauber und beschloß, ihn meinem englischen Lehrer mitzubringen, aber ohne die Gebrauchsanweisung. Es klopfte. Mein Herz auch: »Come in!«

Ein Brief von den Eltern. – Vati schrieb, der Devisenantrag sei leider gekürzt, und ich solle das Geld dazu verwenden, schleunigst wieder nach Hause zu fahren. – Mutti schrieb, damit ich nicht traurig sei, habe Vati mir einen Pudel gekauft. Und ich sei ihr liebes Kind.

Das liebe Kind setzte sich wieder auf die Bettkante und stand vor der Wahl: Jane oder Pudel. Und zählte das Geld, das aber jetzt nur Reisegeld war, und behielt ein Pfund übrig, mit dem man noch ein oder zwei Tage in London bleiben konnte.

Wegen Jane.

Das Pfund war aber schon am nächsten Nachmittag zu Ende. Auch wegen Jane. Und als sie sich gerade umzog, und ich solange mit dem Gesicht zur Wand sitzen mußte, machte ich eine neue Rechnung auf: ich könne dritter Klasse fahren und behielt dann abermals ein Pfund übrig.

So kam der nächste Abend. Langsam schritten wir nebeneinander durch den nächtlichen Hydepark, vorbei an den vielen leeren Klappstühlen. Von fern sang der Chor der Großstadt, und über uns hing ein stiller Mond, der nur für uns war. Aber Vierter-Klasse-Billetts gab es nicht. Und wenn ich auf der Reise standhaft sein würde gegen Gepäckträger, Sandwiches und Liegestühle, blieben mir noch fünf Shillinge.

Damit führte ich Jane aus dem Hydepark und in das Café Royal hinein, das nämlich für Künstler ist. Die Künstler sitzen in der Mitte an den Tischen, und rundum, etwas erhöht auf den Galerien, sitzen die Leute, die die Künstler sehen wollen. Da ich weder in die eine Kategorie noch in die andere paßte, ging ich mit Jane in die Bar, und wir saßen auf hohen Hockern und bestellten jeder einen Vino Vermouth, jeden für zwei Shilling zwei Pennies, was man tu-end-tappens nennt. Und da wir noch nichts gegessen hatten, stillten wir unseren Hunger aus den großen silbernen Schalen mit Salzmandeln und Cocktail-Gebäck. Das war gratis und machte scheußlichen Durst. Wir nahmen den Durst in Kauf und aßen weiter aus den silbernen

Schalen. Der Mixer fragte uns, was wir noch trinken möchten und schob die silbernen Schalen auf die Seite zu den anderen Gästen. Ich holte sie aber zurück, und sie waren wieder frisch gefüllt. Und während wir weiteraßen, hielt ich die Schale mit der einen Hand fest, denn was umsonst ist, ist umsonst. Der Mixer verschwand eine Minute und kam mit einem Herrn im schwarzen Anzug zurück, der noch viel vornehmer aussah als die Gäste, denn er war der Geschäftsführer. Und er war sehr sorry, und seine Augen gingen immer wieder auf meine Knie, wo die karierte Mütze lag – wie ich festgestellt hatte, die einzige in ganz England – und dann meinte er, wir möchten unauffällig gehen und den Wermut brauchten wir nicht einmal zu bezahlen. Ich war tief verletzt und hätte ihm gern meinen Standpunkt klargemacht. Aber die Worte, die ich bei Jane gelernt hatte, paßten alle nicht.

Und deshalb bestellte ich eine Flasche Champagner! Zwei Flaschen Champagner! Denn nun kam es nicht mehr darauf an. Der Geschäftsführer gab einen Wink, ein Ober nahm mir die karierte Mütze vom Schoß und trug sie behutsam mit beiden Händen, als sei sie ein nagelneuer Zylinder, in die Garderobe. – Sehr spät bekam ich sie wieder. Mit ihr und Jane und elf Shilling zwei Pence trat ich hinaus auf die beleuchtete Straße.

So mußte ich in England bleiben.

Tagsüber lagen wir auf den Wiesen in den Kensington-Gardens und unterhielten uns englisch. Das fiel mir sehr leicht, denn die englische Konversation besteht hauptsächlich aus Schweigen. Nur, wenn zwei sich treffen, sagt der eine: »Hau du ju du?« Und dann sagt der andere: »Hau du ju du?« – Aber mit Jane traf ich mich nie, wir waren dauernd zusammen. Und Jane sagte vielleicht einmal: »Look, a fly!« – Und ich zog dann bedächtig an der Pfeife und antwortete etwa nach einer halben Stunde: »I see!« – Und je mehr wir uns liebten, mit um so weniger Vokabeln kam ich bei Jane aus.

So wurde mein Herz immer voller, und mir war, als hätte ich ihr tausend Dinge zu sagen, für die ich selbst die deutschen Worte nicht fand. Wieder einmal wurde es Mitternacht. Jane lag auf der Couch. Ich hockte neben ihr auf dem Boden und hielt seit Stunden ihre Hand, die ohne Zweifel die feingliedrigste Hand von ganz England war. Da beschloß ich, es ihr zu sagen, mich aber auf das Wesentliche zu beschränken. Vorher knipse ich vielleicht besser das Lämpchen aus, dachte ich und knipste es aus:

»Jane! Würdest du mich heiraten?«

»Oh yes!« sagte Jane aus dem Dunkel.

Ich rief: »Jane!«

Jane seufzte: »Aber ich bin zu alt für dich.«

»Nein«, erwiderte ich, »denn ich mag nicht die jungen Mädchen, die immer lachen.«

Da lachte Jane und sagte: »I see.«

Ich erhob mich jäh vom Boden. Ob sie Eltern habe? – Ja. – Wo? – Manchester, 24 Hunters Crescent. Ich wiederholte es dreimal und verließ mit entschlossenen Schritten das Zimmer.

Verkaufte am nächsten Morgen meinen Fotoapparat an einen Drogisten. Fuhr mit dem Bus zur St. Pancras Station. Kaufte ein Billett und stieg in den Zug. Turum turum – turum turum, machten die Räder, in den Kurven neigte sich der Zug auf die Seite, und die langen Wagen schwankten ein wenig. Und immer englischer wurde die Landschaft, im leichten Nebel lagen Weiden, nur Weiden, mit endlosen Hecken, und mitten darinnen zuweilen ein kräftiger alter Baum. – Jane ist gar nicht zu alt. Ich bin zu jung. Aber das geht vorüber. In anderthalb Jahren mache ich das Abitur, und dann schreibe ich mein Buch über England, und von dem Geld können wir heiraten. Janes Eltern werden sich freuen, denn es sind arme Leute. Der Vater ist in einer Fabrik, hatte Jane einmal gesagt. Ich werde besonders nett zu ihnen sein und bescheiden.

Draußen war es dunkel geworden; im Abteil brannte eine gelbe Lampe, und der Zug raste unaufhaltsam weiter, denn es war der Flying Scotsman.

Und dann ratterte er über Weichen, Lichter blitzten durch die Fenster, die Wagen hämmerten durch eine Schlucht von dunklen Häusern. Bahnhofshalle. Ausrufe. Türenklappen. Elektrokarren. Fremde Schilder.

Ich fragte mich durch die nächtliche Stadt. Durch eine helle Straße mit wogendem Verkehr. Durch leere Seitenstraßen, die kein Ende hatten. Ich fragte weiter. – Nur jeder Dritte wußte, wo Hunters Crescent ist. Und von denen konnte ich nur wieder jeden Dritten verstehen. Ich geriet in düstere arme Viertel mit schwarzen, einstöckigen Häusern. Und dann hörten auch diese auf. Es begann zu regnen. Es ging bergan unter Bäumen hinter bemoosten Mauern und an Straßenlaternen vorbei, die für niemanden brannten. Hunters Crescent! Nummer 26. – Nummer 24! – Auf einem Messingschild der Name von Janes Vater. Und das kunstgeschmiedete Tor sah nicht aus, als wenn dahinter arme Leute wohnten. Dennoch. Ich drückte die Klingel. Ein Licht ging an. Ein Mädchen in weißer, kleiner Schürze erschien, öffnete das Törchen und führte mich an kerzengeraden Sträuchern vorbei, von denen es tropfte.

Dann stand ich in der Halle. Das Mädchen hatte an eine Tür geklopft und war hineingegangen. Durch den Spalt hatte ich flackerndes Kaminfeuer gesehen und Gestalten auf hohen Stühlen. Nun brachen die Stimmen ab.

Ich bitte um die Hand Ihrer Tochter, werde ich sagen. I beg for the hand of your daughter. – Ist das überhaupt richtiges Englisch? Drinnen wurde offenbar geflüstert. Von meinem schmutzigen Mantel troff das Wasser auf den gepflegten, schönen Fußboden. ›Bong‹ machte neben mir eine alte Standuhr. Halb zwölf. Und ich gehe ja noch zur Schule. Untersekunda. Und Gut nur in Religion und Betragen, beziehungsweise im ganzen gut.

In der Tür erschien ein kleiner alter vornehmer Herr und blickte mich mißtrauisch an.

»Well?« fragte er.

Ich drehte meine Mütze in den Händen und bestellte schöne Grüße von Jane.

»Well?«

Sie sei doch seine Tochter, nicht wahr, oder nicht?

»Well!« Die Augen des alten vornehmen Herrn wurden noch kälter.

»Dann entschuldigen Sie vielmals!« – Das Mädchen mit der kleinen Schürze öffnete die Tür.

Draußen regnete es noch.

Am nächsten Nachmittag war ich wieder in London. Dort schien noch immer die Sonne, als wenn nichts gewesen wäre. Ich fand Jane in ihrem Zimmer. Sie trug einen weißen Kittel mit Flecken aus Ölfarbe, saß neben ihrer Staffelei und hatte verweinte Augen. Ich warf meine karierte Mütze auf den Stuhl und sagte: »Jane, ich habe es mir anders überlegt. Deine Eltern gehen mich gar nichts an. Du kommst mit mir nach Deutschland und wartest, bis ich erwachsen bin.« – »Aber deine Eltern«, warf Jane ein. – Ich unterbrach sie: »Wo ein Wille ist, ist auch ein Weg. Ich werde ihnen ein Ultimatum stellen, sonst fahre ich einfach nicht nach Hause zurück.«

Nebenan ging die Tür meines Zimmers, ich hörte kurze energische Schritte auf dem Flur: »Bubi!«

»Jawohl, Mama!« rief ich und sauste hinaus auf den Flur.

Da war Mama wirklich, und noch im Reisehütchen, und hatte meine Koffer bereits gepackt. Ich mußte mir noch den Scheitel wegkämmen, mir die Schuhe putzen und das Waschzeug einpacken. Mutti fuhr mit dem Daumen über die Zahnbürste: »Wann hast du dir eigentlich zuletzt die Zähne geputzt? Und zeig mal deine Fingernägel! – Na, die gehen ja noch. – Und nun verabschiede dich schön von ihr.«

Die Rückreise war sehr erholend, denn ich hatte nichts zu sagen. Ich genierte mich ein bißchen, weil Mutti nicht englisch sprach, aber mit Deutsch kam sie viel besser durch als ich: die Gepäckträger beluden sich wie Packesel, die Stewards flitzten, und das Schiff wagte nicht einmal zu schaukeln.

Unterwegs las ich, daß Hindenburg gestorben war. »Ouh«, sagte ich. Mutti sagte, ich solle nicht so albern ›ouh‹ sagen und rationierte den englischen Tabak.

Zuhause brachte ich meinem neuen Pudel Englisch bei: ›Sit down‹ und ›Come here‹.

Und auch in der Schule wurde ich als Experte für England empfangen. Und mußte vom Tower erzählen, von der Sternwarte in Greenwich, vom Leben in England, und ich wurde auch nach einer besonderen Brücke gefragt. Was ich nicht aus dem Buch meiner Wirtin wußte, entnahm ich dem Konversationslexikon meines Vaters. Und Gott sei Dank sind die Sachen, die man von England wissen muß, alle so alt, daß sie im Lexikon stehen.

Und im Englischen hätte ich es nun auf eine Zwei bringen müssen. Aber wir übersetzten noch immer die Geschichte von den zwei Kindern, die einer Widerstandsbewegung angehörten, als die Normannen England eroberten.

Deutschland aber hatte endgültig Hitler geerbt – in einem Testament vom alten Hindenburg – und eines Tages waren wir alle gleich und durften deshalb auch keine Schülermützen mehr tragen. Vater gab mir zehn Mark, damit ich mir einen passenden Hut kaufe. Aber die Hüte sahen auch alle gleich aus, und ich wollte etwas Besonderes haben, für zehn Mark. Auf einer bunten Papptafel war ein Gentleman abgebildet, der rauchte eine Pfeife, so wie ich, und trug einen harten, kreisrunden Strohhut mit rot-weiß gestreiftem Band. Das war, was ich suchte, und kostete neun Mark achtzig Pfennige.

Vater lachte, und Mutti fand die Kreissäge auf meinem Kopf sehr schick, insbesondere in der heutigen Zeit. – Ich probierte sie erst einmal auf der Königsallee aus und grüßte alle Leute, die ich kannte, und wenn nicht genügend vorhanden waren, auch Leute, die ich nicht kannte. Und rauchte dazu meine englische Pfeife, wie der Gentleman auf der Papptafel. Nachdem ich mich also der Wirkung versichert hatte – der Wirkung des Strohhutes – zog ich ihn am nächsten Morgen zur Schule an.

Und in der Zehn-Uhr-Pause setzte ich wieder meinen Strohhut auf und ging auf dem Schulhof auf und ab, wobei ich ein wenig mein Butterbrot aß. Die Sextaner liefen herbei und folgten mir quiekend. Und meine Klassenkameraden winkten mir aus einer Ecke Mut zu. Und dann kamen auch die Quintaner und johlten hinterdrein.

Zwei Studienreferendare versuchten, mein Gefolge zu zerstreuen. Aber es war wie ein Bienenschwarm, den man auseinanderjagt und der gleich wieder lärmende Klumpen bildet. Ein Studienrat erschien und befahl mir, den Hut abzunehmen. »Well«, sagte ich, aber den müsse ich tragen wegen der Sonne. Ein anderer Lehrer kam und verwies mich vom Schulhof, und ich solle den Rest der Pause in der Klasse verbringen.

Allright! Ich öffnete das Fenster und sah unten das Volk aller Klassen, das mir zujubelte. Ein Assessor kam in die Klasse gekeucht: Ich solle das Fenster schließen: »Sorry«, sagte ich, ich brauche die frische Luft und hätte in der Pause ein Anrecht darauf.

Zuletzt erschien der Pedell. Der Direktor hätte angeordnet, ich solle die Schule sofort verlassen und mich nach Hause begeben. – Etwas Schöneres kann einem Schüler nicht passieren, wenn er doch gar nichts getan hat.

Und mittags brachte der Pedell einen blauen Brief für meinen Vater. Er enthielt eine Darstellung meines Strohhutes.

Vati: Mit einer Bestrafung seines Sohnes könne er sich nicht einverstanden erklären, denn es handle sich um ein Bekleidungsstück, und die Bekleidung sei Sache der Eltern.

Der Direktor: Er habe gegen Strohhüte dieser Art auch nichts einzuwenden und sie seien bestimmt sehr praktisch. Aber es sei unmöglich, die Schulzucht damit aufrechtzuerhalten.

Vati: Die Schulzucht sei nicht seine, sondern Sache der Lehrer. Er empfehle, den übrigen Schülern das Nachlaufen und Johlen doch zu untersagen.

Während so diese Briefe gewechselt wurden, paddelte ich auf dem Rhein.

Der Direktor schlug einen Kompromiß vor: Er wolle sich mit dem Strohhut einverstanden erklären, aber ich müsse damit die

Schule durch den Lehrereingang betreten, und die Pausen im Garten des Direktors verbringen. Er wolle mir sogar gestatten, das Lehrerklo zu benutzen, damit ich nicht über den Schulhof müsse.

Vati blieb fest.

Dann kam der große Tag, da ich mit dem Strohhut wieder auf den Schulhof kam. Aber alle kannten ihn, und nicht einmal die Sextaner ließen sich stören. Und alle hatten bereits vergessen, daß ich derjenige war, der aus England zurückkam.

Mutti sang nicht mehr, sondern half Vati beim Dichten. Aber einmal in jedem Monat kamen abends Leute zu uns, die sehr kompliziert redeten, und mit langen Haaren. Und drei oder vier davon setzten sich dann um den Flügel und packten aus schwarzen Kästen kleine oder große Streichinstrumente, und während sie noch an den Saiten zupften, ergossen sich die anderen über Sofas und Sessel und räusperten sich. Dann war es einen Augenblick still, das Klavier machte das erste ›Plung‹, und die Zuhörer legten die Köpfe in den Nacken und schlossen dabei halb die Augen. Ich durfte dabei sein. Und wenn alles gut ging, wurden sie auch zugleich fertig. Und die anderen Gäste erwachten aus ihrer Versunkenheit, zollten mit den Fingerspitzen vornehmen Beifall, und dann drängte sich alles durch die Tür ins Nebenzimmer, wo es kalten Schweinebraten gab und Geflügel. Denn Mutti hütete sich, die Musikfreunde schon vor dem Konzertieren essen zu lassen, denn dann waren sie satt, saßen träge in den Sesseln, und keiner wollte mehr spielen und keiner zuhören.

Ich beneidete die Menschen, die Musik machen können, und hätte auch gern anderen Leuten vorgespielt. Aber das Klavier war mir zu kompliziert geworden mit viel Noten über- und untereinander, während draußen die Sonne schien. Und die Lehrerin hatte es aufgegeben. Eines Abends aber spielte jemand alte Musik auf einer Blockflöte. Die Blockflöte ist etwas für mich, dachte ich, denn im Gegensatz zum Klavier braucht man auf ihr immer nur einen Ton zugleich spielen, und man kann nicht, wie auf der Geige, falsche Vierteltöne machen, denn Loch ist Loch und dazwischen gibt es nichts.

Am nächsten Abend ging ich in mein stilles Dachkämmerlein mit den schrägen Wänden und probierte die Löcher. Sie sehen einfacher aus, als sie sind. Und wenn man auch immer nur einen Ton zu machen braucht, so war ich doch auf ewiger Suche nach eben dem Ton.

Nun war es das Unglück unseres Hausmeisters, auch unter dem Dach zu wohnen. Und es war zeitlebens mein Unglück, daß ich mich nicht mit den Hausmeistern vertrug, denn sie sind Hüter der Ordnung. So schlurfte es draußen über den Flur, und die Hausmeistersfrau bummerte an die Tür. Ich war aber dem richtigen Ton schon sehr nah und wollte nicht aufgeben. Dann kamen schwere Schritte, und der Hausmeister ballerte mit den Fäusten und rüttelte an der Klinke.

Dabei waren die beiden in gewissem Grade musikalisch, denn wenn Frau Jasnitzky die Treppen putzte, sang sie im Rhythmus des schlappernden Aufnehmers: »Die Fahne hoch, die Reihen fest geschlossen.« Und dagegen war nichts zu sagen. Nur Bach und Händel, deren Töne ich suchte, müssen sich alles gefallen lassen. Schließlich sogar einen Brief der Hausverwaltung wegen ruhestörenden Lärmes.

Ich konnte schon den ersten Satz einer kleinen Gavotte, da hörte ich es wieder schlurfen. Ich ließ Händel fahren und wechselte mit der Blockflöte über zu: ›SA marschiert in ruhig festem Tritt.‹ Das Schlurfen hielt ein, und nichts pochte gegen die Tür. – ›Der Tag für Freiheit und für Brot bricht an.‹ – Das Schlurfen entfernte sich. So schlurfte es viele Male hin zu meiner Tür und schlurfte wieder weg. Und meine Flöte pendelte über ›Reaktion erschossen‹ von Horst Wessel zum Rondo von Händel und wieder zurück. Denn es ist ein weit gespannter Bogen im deutschen Geistesleben. In unserem Treppenhaus brach der Kulturkampf aus. Frau Jasnitzky sang ›Fahne hoch‹ auch ohne Aufnehmer, bei offener Küchentür, bis sie müde war und den Wecker für den nächsten Tag stellte. Und dann griff ich zur Flöte und spielte weiter das Horst-Wessel-Lied bis in die tiefe Nacht, und dagegen konnten die Jasnitzkys nichts sagen.

Und eines Tages bekamen Jasnitzkys eine Katze, sie hieß Fippi. Sie war ein stilles Tier, und keiner hätte sie bemerkt und keinen hätte sie gestört, wenn die Jasnitzkys nicht dauernd gerufen hätten: »Fippi! – Fippi, kömmst du her? Fippi! – Fippi!!«

Was die können, kann ich auch und rief abends vor meiner Tür: »Peter! Peter, kommst du her? Komm Peter! Ei, die schöne Milch!« Und in meinem Zimmer rief ich, so daß man es auch nebenan hören konnte: »Husch, runter da, verdammtes Katervieh!«

Fippi durfte nicht mehr ausgehen. Fippi durfte nicht mehr ins Treppenhaus und nicht mehr aufs Dach. Fippi wurde gehalten wie eine Nonne im Kloster. Weil das aber nicht im Sinne einer Katze ist, klingelte der Hausmeister unten bei meinem Vater und beschwerte sich über Peter. Mein Vater wußte nichts von einem Kater. Der Hausmeister drohte, das Tier zu erschlagen. »Den müssen sie erst mal kriegen!« rief ich das Treppenhaus hinab.

Die Jasnitzkys hockten sich hinter einen Vorsprung am obersten Treppenabsatz mit dem Stocheisen auf die Lauer.

Die Jasnitzkys drangen mit einem Nachschlüssel in meine Dachkammer.

Frau Jasnitzky besorgte alte Sprotten und legte sie ins Treppenhaus, um endlich Peter zu erwischen.

Herr Jasnitzky lieh sich ein Luftgewehr und verbrachte ganze Abende in seinem Dachfenster.

Schließlich kam ein Brief der Hausverwaltung:

Laut § 21 des Mietvertrages dürfen Tiere nur mit Einvernehmen des Vermieters gehalten werden.

Wir hielten kein Tier.

Nächster Brief, Einschreiben: Nach Angaben des Hausmeisters beschmutze unser Kater die Treppe, und das Treppenhaus hätte einen üblen Geruch. Es drohte die Räumungsklage.

Man kann aber keinen Kater abschaffen, den man gar nicht hat.

Und mein Vater sah, wie leicht man seinem Sohn Unrecht tat, und focht die Sache durch.

Zuerst wurde der Hausmeister als Zeuge vernommen: Der Sohn des Beklagten halte einen Kater? – Jawohl, ein ganz widerliches Vieh! – Der Beklagte bestreite das aber. Haben Sie den Kater gesehen? – Nein, so direkt nicht.

Frau Jasnitzky wurde vernommen: Ob sie den Kater gesehen habe? – Ja sicher! – Wie der Kater aussähe? – Janz jemein. Und mit'm Schwanz. Mehr wußte sie nicht. – Merkwürdig! – Aber im Treppenhaus fände sie immer Katzendreck, und das könne sie beeiden.

Die Leute, die unter uns wohnten, wurden vernommen: Ob der Sohn des Beklagten einen Kater hielte? – Jawohl. Und das wäre ihm auch zuzutrauen. – Ob sie den Kater gesehen hätten? – Das nicht gerade. Aber der Gestank!

Das käme von den Sprotten, rief ich. Aber ich war nicht gefragt.

Unser Mädchen wurde vernommen: – Nein, Herr Jakob habe wirklich keinen Kater.

Aber woher sonst käme der Katzendreck?

»Von der Fippi«, bemerkte ich.

»Wer ist Fräulein Fippi?« fragte der Richter.

»Die Katze von Jasnitzkys! Jasnitzkys haben eine Katze.«

Nun war der Gestank allen klar. – Der Richter setzte sich das Barett auf und erhob sich: Die Klage wird auf Kosten des Klägers abgewiesen.

Und dann mußten Jasnitzkys ihre Katze weggeben.

Am Abend nach dem Urteil trafen wir uns im Treppenhaus, die Jasnitzkys und ich, und schlossen einen außergerichtlichen Vergleich: Ich versprach Schweigen darüber, daß die Fippi bei ihnen bleibt, und sie versprachen, still zu halten, wenn ich Blockflöte übe.

So kam auch wirklich der Tag, da ich mein erstes Hauskonzert gab, eine kleine Suite von Haydn. Allerdings nicht in unserer Wohnung und vor den Leuten, die immer den Kopf in den Nacken legen und von der transzendentalen Indirektheit der musikalischen Problematik sprachen, sondern bei Jasnitzkys in der Küche. Und auch Fippi hörte andächtig zu.

Als ich am nächsten Morgen ahnungslos zur Schule kam, hatten wir statt Mathematik plötzlich Deutsch; die großen schwarzen Aufsatzhefte wurden ausgeteilt und das Thema gestellt: ›Vier Jahre Drittes Reich.‹ Denn es war wieder einmal der 30. Januar.

Ich schrieb gern deutsche Aufsätze. Und wenn wir nach acht Tagen unsere Hefte zurückbekamen, fehlte regelmäßig mein Aufsatz, er ging unter den Lehrern um. Ich wurde gern gelesen. Und schlecht beurteilt: ›Stil gut, Inhalt ungenügend, Gesamtprädikat vier plus.‹ – Ich konnte nicht anders, denn die Themen hießen: ›Der Krieg als Schmelztiegel der Nation‹ oder ›Der Kreisbauernführer im Einsatz der Erzeugungsschlacht‹. Und dann wollten die Lehrer einfach nicht glauben, daß ein Kreisbauernführer die dicksten Kartoffeln haben muß! – Und auch der Deutschlehrer konnte nicht anders. Nur das Plus hinter der Vier war ein kleiner geheimer Wink der Sympathie.

Was schreibt man über das Dritte Reich?

Ich schielte in das Heft meines Nebenmannes. ›Der Führer‹, schrieb er, ›hat den Krankenschein von einer Mark auf fünfzig Pfennige heruntergesetzt.‹ Aber nun hielt er den Arm davor. Und ich begann, mit eigenem Gehirn darüber nachzudenken, was Gutes alles der Hitler getan hatte, damit die Lehrer mir nicht weiter den Vorwurf machten, ich sei reaktionär.

Der Führer zum Beispiel hatte das deutsche Volk geeint. Ich dachte ein wenig darüber nach. Und wer nicht geeint war, durfte es sich nicht anmerken lassen und blieb am besten zu Hause. Aber auch das war verdächtig. Besser, ich würde nicht darüber schreiben. – Der Führer zum Beispiel hatte auch für Ordnung gesorgt. Ich entsann mich der vielen Demonstrationszüge aller Parteien. Jetzt marschierte nur noch eine Partei, und wenn man nicht die Hand erhob, sprangen ein paar aus den Reihen, und man bekam Hiebe. Das würde ich auch besser weglassen. – Aber der Führer hatte die Arbeitslosigkeit beseitigt. Ich dachte an den Mann aus der neugegründeten Fabrik für elektrische Staubsauger, der jeden Tag ein Teilchen klaute und es mit nach Hause nahm, um für seine Frau einen Staubsauger zu bauen. Aber er konnte die Sachen zusammensetzen wie er wollte, es wurde immer ein Maschinengewehr daraus. Und wer einmal alle die Staubsauger bezahlen sollte, wußte ich auch nicht, und deshalb ließ ich es auch lieber weg. – Eines stand jedenfalls fest, denn es stand auf allen Plakaten und immer wieder in der Zeitung: Der Führer hatte uns befreit. Es war mir nicht ganz klar, wovon, aber befreit hatte er uns. Und ich schrieb es nieder. Und wer da sagt, wir seien nicht frei geworden, –. Ich strich es wieder durch.

Ich erhob die Hand: »Darf ich mal raus?«

Beim Pedell war gerade die Post angekommen für den Herrn Direktor und die Schulungshefte fürs Lehrerzimmer und die Zeitungen. Ich schob die ›Volksparole‹ unter meine Jacke und legte einen Groschen hin für den Fall, daß es herauskäme. Und dann ging ich wieder in meine Klasse, drückte mich in die Bank und studierte all das Fettgedruckte. Doch es half mir auch nicht, denn ich konnte keinen Sinn darin finden, es war nichts als Jubel und Ausrufungszeichen. Man sollte einfach –! dachte ich. Und tat es. Und übertrug die dicken Schlagzeilen, die Begeisterung des Volkes nämlich, so wie sie in der ›Volksparole‹ stand, und ohne Zusammenhang und ohne Text, Heil! in das deutsche Aufsatzheft. Denn was in der Zeitung stand, kann nicht falsch sein.

Ich las das Ganze noch einmal durch. Vom Katheder her hörte ich Scharren; Studienrat Rilkow hatte sein Buch hingelegt und sah zu mir hin: »Warum lachen Sie?«

»Weil –. Ich bin fertig, Herr Studienrat.«

»Dann geben Sie das Heft ab.«

In der fünften Stunde war die Schulfeier. Auf dem Podium standen die beiden Lorbeerbäumchen, die, wie unser Herr Direktor, schon dem Kaiser gedient hatten. Der Sextanerchor sang: »Mit dem Pfeil, dem Bogen.« Unser Turnlehrer hielt einen Vortrag über Volk ohne Raum. Ein Chemielehrer sprach über Schiller, den Vorkämpfer des tausendjährigen Reiches. Und zum Schluß hielt der Direktor eine drohende Rede gegen die Feinde des Staates, von denen es immer noch welche gibt. – Ob der schon meinen Aufsatz gelesen hat? – Und daß man sie mit Stumpf und Stiel ausrotten werde. – Ob ich mir das Heft noch einmal zurückgeben lasse? – Wir mußten aufstehen und singen. Ich sang diesmal laut mit, denn mir war nicht wohl in meiner Haut.

Am Nachmittag schrieb ich einen Brief an Jane. Ich liebte sie noch, und es war so schön, einen Brief zu schreiben in ein Land, wo sich jeder auf die Straße stellen und sagen kann, was er will.

Und am nächsten Tag beobachtete ich ängstlich meine Lehrer, ob man ihnen schon etwas anmerken kann.

In der ersten Stunde war Physik. Professor Petermann wand die Stahlbügel seiner Brille um die kahlen Ohren: »In dieser Stunde lassen wir uns einmal den Fall einer Bombe durch den Kopf gehen.« – Denn er hatte Anweisung, den Physikunterricht zeitnah zu gestalten und uns auf das praktische Leben vorzubereiten. – Eine vom fliegenden Flugzeug abgeworfene Bombe beschreibt nämlich einen Parabelast, der sich einer im Ziel gedachten Lotrechten asymptotisch anschmiegt, wobei sich die Bombe in horizontaler Richtung mit abnehmender Geschwindigkeit, in vertikaler Richtung hingegen mit zunehmender Geschwindigkeit bewegt, bis zu einem Grenzwert, wenn ihr Eigengewicht gleich ist den Luftwiderstandskräften $W = F.\frac{\rho}{2}.Cw.v^2$.– Ich war zweimal drangekommen. Professor Petermann war nichts anzumerken.

In der zweiten Stunde hatten wir Singen. Wir polterten in der Aula die Tribüne hinauf. Studienrat Lerchenwald stocherte mit dem langen Schlüssel im Schloß des Flügels, den er immer aufklappte, obwohl wir seit zwei Jahren schon nicht mehr sangen, sondern die Entstehung des Gregorianischen Chors und das Leben berühmter Komponisten auswendig lernten. Der kleine Boom erzählte dem Spatz noch schnell und aufgeregt von einem Film.

»Boom!«

»Bin gleich fertig«, entfuhr es dem Boom.

»Raus!!« – Boom mußte immer raus. Ich kam dran. Über Beethoven.

»Der alte Beethoven –« begann ich vorsichtig.

»Der alte Beethoven?« schrie der Lerchenwald. »Was heißt der alte Beethoven?«

»– war taub.« Denn soviel wußte ich von ihm.

»Lieber Freund, fangen Sie gefälligst von vorne an!«

Vorn heißt: geboren, wann und wo. Der Boom draußen hat es besser, dachte ich.

»Wird's bald?«

Um ganz von vorne anzufangen: »Beethovens Vater war ein Säufer.«

Fünf.

Die Türe öffnete sich, und der Boom steckte seinen Kopf durch: Ob er wieder herein dürfe? – Damit wollte er den Lerchenwald ein bißchen ärgern, aber es war ein schlechter Augenblick. »Kommen Sie wieder rein, und erzählen uns weiter über Beethoven.«

Boom sah auf zum Himmel, aber der Himmel schwieg. Boom sah mich an, ich zuckte die Achseln. Was hast du denn gesagt? flehte Boom flüsternd. – Daß sein Vater ein Säufer war.

»Beethovens Vater war ein Säufer.«

Klassenbuch.

»Das hat mir der Tast vorgesagt«, verteidigte sich Boom.

Der Lerchenwald ließ das Klassenbuch liegen: »Ihnen werde ich den Unsinn schon austreiben.« Er schlug einen Ton auf dem Flügel an: »Singen Sie: Saaah!« Ich war gemeint. Wer richtig ›Saah‹ singt, kommt in den Chor. Und Chor bedeutet zweimal in der Woche nachmittags: »Saaah.«

»Wenn Sie nicht richtig singen, kriegen Sie noch eine Fünf! Saaah!«

Lieber eine Fünf, als zweimal in der Woche: »Saaah!«

»Wenn Sie noch einmal falsch singen, bekommen Sie Arrest! Saaah!«

Arrest ist einmal, Chor ist immer: »Saaah!«

Er schlug mit der Faust auf den Flügel: »Wenn Sie jetzt nicht richtig singen, gehen wir beide zum Direktor! Saaah!!«

»Herr Studienrat, ich möchte lieber zum Direktor! Ich habe nämlich Zeugen dafür, daß ich richtig singe, nur Sie sagen immer, ich singe falsch.«

»Was sagen Sie da?«

»Jawohl.«

»Sie singen richtig?! Ja, lieber Mensch, dann sind Sie ja wirklich unmusikalisch?«

»Aber ich möchte doch so gern in den Chor!«

»Schön,« sagte er, »Montag und Donnerstag von vier bis sechs.«

Von dem Aufsatz schien er aber auch noch nichts zu wissen.

Und wenn das so ist, dachte ich in der Pause, läßt sich das vielleicht noch in Ordnung bringen. Vor dem Lehrerzimmer lauerte ich Studienrat Rilkow auf: »Herr Studienrat – dürfte – könnte – ich möchte gerne meinen Aufsatz wieder zurückziehen.«

»Was heißt zurückziehen?«

»Ja. Wegen der schlechten Handschrift.«

Studienrat Rilkow war etwas eilig: »Nicht nötig, ich habe jedes Wort lesen können.« Ging weiter, blieb noch einmal stehen: »Und außerdem – ist das Heft zur Zeit nicht in meinen Händen.« Und ging davon über den Gang.

Es schellte. Ich eilte zu unserer Klasse und schloß mich den anderen an, denn dritte Stunde war Biologie im obersten Stock. Als wir die Treppe hinaufstiegen, trotz unserer fortgeschrittenen Reife uns stoßend und drängelnd, erblickten wir plötzlich ein neues Geländer aus frischem Holz und säuberlich in die Wand eingegipst. »Als ob das hält!« rief Spatz und rüttelte daran. – »Das hält!« sagte der Klosterkamp. – »Wetten, daß nicht!« sagte der Spatz und rüttelte noch mehr. – »Wetten, daß doch!« sagte der Klosterkamp und war stehengeblieben. – Der Spatz zog. Und der Boom zog auch. Und der Palm. Und ich, glaube ich, auch so ein bißchen. Und dann zog selbst der Klosterkamp mit, der dagegen gewettet hatte. Und fiel mit seinem Holzbein plötzlich die Treppe hinunter, denn der Spatz hatte die Wette gewonnen.

Befriedigt marschierten wir in den Biologiesaal, dessen Fenster bereits verdunkelt waren. Die trübe Deckenbeleuchtung schien auf die Bandwürmer in Spiritus und die Tafel mit dem abgehäuteten Menschen. Auf dem Tisch wartete das Epidiaskop mit sortierten Diapositiven. Wir machten ein bißchen Radau, weil Studienrat Anton noch nicht da war. Und wenn ein sonst so pünktlicher Lehrer nicht kommt, dann ist etwas los. Das, was los war, lag nun auf der Treppe.

Studienrat Anton kam nicht allein, sondern in Begleitung des vergrämten Pedells und des gestrengen Direktors.

»Wer ist das gewesen?« – Diesen Satz hatte er offenbar aus einem Buch. Die Frage war schwer zu beantworten, weil doch jeder ein bißchen mitgerüttelt hatte, es war beinahe schon eine juristische Frage, denn die Kollektivschuld hatten wir in Deutschland noch nicht. Und deshalb blieben wir sitzen.

»Der Täter ist mir bekannt. Ich gebe ihm sechzig Sekunden Zeit, sich zu melden, wie es – einem deutschen Jungen – gebührt.« – Man kann in sechzig Sekunden aber nicht darüber entscheiden, wer der Hauptschuldige ist, wenn alle mitgezogen haben.

Der Direktor steckte seine Uhr wieder in die Weste: »Dann muß es wohl einer aus der Nebenklasse gewesen sein.«

Nach kurzer Zeit kamen die drei Herren wieder, und wir mußten uns im Gang nebeneinander aufstellen. Aus der Nebenklasse hatten sie einen, der in allen Fächern ›Gut‹ und ›Sehr gut‹ hatte, und der sagte, der Boom sei es gewesen. – »Der Boom war es nicht!« protestierten wir, »denn der ist nur Spezialist für Fensterscheiben, und mit Geländern hat der noch nie was zu tun gehabt.« – Der mit allen Fächern ›Eins‹ und ›Zwei‹ sagte, es sei aber trotzdem der Boom gewesen. Nun wurden wir wütend, und der Spatz trat vor: »Herr Direktor, wenn Sie es wirklich wissen wollen, wer es war –, es war der!« und zeigte auf den aus der Nebenklasse. Die Idee vom Spatz war gut, und wir erhoben vielstimmiges Gebrüll: »Jawohl, der war es selber!«

Der Lehrer aus der Nebenklasse wollte es nicht glauben. Der Direktor wurde verwirrt. Unser Biologielehrer guckte durch das Fenster immerfort auf den leeren Schulhof.

Ruhe! – Der Direktor sagte zu dem mit ›Eins‹ und ›Zwei‹, er solle in Zukunft etwas vorsichtiger mit dem Treppengeländer sein. Da waren wir wieder empört und verlangten strenge Bestrafung.

Und dann begann der Biologieunterricht.

»Unseren Leitsatz bitte!«

Seitdem wir bei Studienrat Anton Vererbungslehre gehabt hatten, mußte zu Anfang jeder Stunde einer den Leitsatz sagen: ›Tu mit deiner Freundin nicht das, was du nicht willst, daß es ein anderer mit deiner Schwester tut.‹ Damit wir nicht unsere Biologiekenntnisse mißbrauchten.

»Palm!«

»Tututu mit deideideidei –«, er stupste mit dem Zeigefinger hilflos auf sein Pult, denn er stotterte von Haus aus, und er konnte erst reden, wenn er mit dem Zeigefinger das Loch in seinem Pult gefunden hatte. Und deshalb durfte er sich auch, wenn wir Ostern in eine neue Klasse kamen, immer mit dem Taschenmesser ein neues Loch schnitzen.

»Was ist los?«

»Dadada hahat mir einer Papapa – pier ins Loch gestopft, aber jetzt habe ich es rausgebohrt, Herr Studienrat.«

»Noch einmal bitte«, rief Studienrat Anton und nickte mir zu.

Ich sagte: »Tu mit deiner Schwester nicht das, was du nicht willst, daß ich's mit deiner Freundin tu.«

Das Licht ging aus. Auf der Leinwand erstrahlte das motorische Nervensystem. Nun würden vierundzwanzig Stunden vergehen, und morgen würde der Anton sagen: Was Sie da gestern gesagt haben, das war eine Frechheit. Denn so lange brauchte er immer, oder er erzählte es wohl inzwischen seiner Frau oder im Lehrerzimmer.

Das Licht ging wieder an: »Was Sie da eben gesagt haben, war eine Frechheit.«

Die Klasse staunte.

»Und dabei hätten Sie doch allen Grund, etwas zurückhaltender zu sein, nicht wahr?«

Aha!

»Ich habe bei Ihnen etwas gesehen, das mich mit tiefer Besorgnis erfüllt.«

Mich auch; der Aufsatz war demnach rund gegangen.

»Was haben Sie sich eigentlich dabei gedacht?« Hinter der forciert energischen Stimme lag gütiger Vorwurf.

»Nichts«, sagte ich, »es kam so über mich.«

»Das ist schlimm! Und gerade davor habe ich Sie immer gewarnt und meine Schüler doch eingehend genug nicht nur auf die moralischen, sondern auch auf die gesundheitlichen Gefahren aufmerksam gemacht.«

»Doch«, sagte ich kleinlaut, aber ich begriff nicht, was mein Aufsatz mit meiner Gesundheit zu tun hatte. »Ich habe doch nur mal sehen wollen –«

»Da gibt es nichts zu sehen, und dafür sind Sie auch noch viel zu jung. Und was Sie sehen müssen, das haben Sie hier gesehen.« Und zeigte auf sein Epidiaskop.

Ich verstand nichts mehr. Studienrat Anton stieg die Stufen empor bis zu meiner Bank, setzte sich neben mich und legte mir die Hand auf die Schulter: »Haben Sie denn nicht gemerkt, was das für eine Person ist?«

»Wer? Ach, Sie meinen –«

»Ganz recht. Es war zwar schon dunkel, aber ich habe alles beobachten können. Und sie hatte rotlackierte Fingernägel und angemalte Lippen.«

»Herr Studienrat, vielleicht haben Sie das nicht so richtig gesehen, wegen des Schleiers –«

»Doch, doch. Und eine anständige Person trägt auch keinen Schleier. Wenigstens keinen lila Schleier.« Er tupfte mich vorwurfsvoll vor die Brust: »Und mit sowas gehen Sie auch noch eingehakt.«

»Herr Studienrat, das war –«

»Wie alt ist sie denn überhaupt?«

»Achtunddreißig. Aber –«

»Kein aber! Und daß Sie es so genau wissen, zeigt mir, daß Sie mit ihr schon – (ganz leise) – längeren Umgang treiben. Haben Sie, beziehungsweise, verabreicht Ihnen die Person auch Küsse?«

»Natürlich. Aber das ist keine Person, Herr Studienrat!«

»Glauben Sie Ihrem alten Lehrer. Um was es sich da handelt, kann ich besser beurteilen.«

»Es war meine Mutter!« platzte ich heraus.

Er stieg wieder die Stufen hinab zu seinem Epidiaskop. In der Klasse gluckste es.

»Das war wieder typisch für Sie!« sagte er traurig.

Und auch ich war traurig, denn er war ein so lieber Lehrer, und nun war er vielleicht böse auf mich. Und es war doch wirklich meine Mutter gewesen.

In der vierten Stunde war Religion. Professor Glöckchen stürmte in die Klasse, das kugelige Bäuchlein voran und die kleine Soutane hinterherflatternd. Die Lehrer hatten beim Betreten der Klasse den Arm zum deutschen Gruß zu erheben. Professor Glöckchen erhob die rechte Hand, ließ sie einen Moment versonnen in der Luft, führte sie andächtig zur Stirn und machte das Kreuzzeichen. Beten. Setzen. »Liebe Jungs. Der Herrgott ist kein Pappenstiel. Heute kommen wir zum Gottesbegriff. Denn Gott ist nicht ein alter Mann mit langem weißem Bart . . . Was wollen Sie?«

»Nee, Hochwürden«, sagte der Spatz, »ich habe ihn mir immer glattrasiert vorgestellt.«

»Jawohl. Sehr gut! Denn Gott ist gütig und allgegenwärtig, er erscheint den Menschen nach ihrem Ebenbild, damit sie ihn verstehen können. Den Negern ist er schwarz und Ihnen – meinetwegen – glattrasiert.«

Der Spatz machte ein dummes Gesicht.

»Wie steht Gott zum Nationalsozialismus?« fragte der Erbsmehl.

»Selig die Armen im Geiste, denn ihrer ist das Himmelreich«, rief der Glöckchen fröhlich und fuhr mit dem Bleistift über die Rippen der Zentralheizung, daß es klang wie eine Harfe.

»Dann kommen die ja all in den Himmel«, entfuhr es dem Boom.

Professor Glöckchen hob unschuldig die Augenbrauen: »Wen meinen Sie, Boom? Ich sprach nur von den Armen im Geiste.«

»Warum kommen gerade die Dummen in den Himmel, Herr Professor?«

»Damit die Hölle nicht von Primanern verstopft wird!«

Wir gaben es auf. – Und mein Aufsatz blieb unerwähnt.

Fünfte Stunde: Deutsch. Die winterliche Sonne brach durch den grauen Himmel und beleuchtete hart das noch leere Katheder. Über den steinernen Flur kamen elastische Schritte. Studienrat Rilkow trug unter seinem Arm die Hefte und legte sie langsam auf das Pult. Boom schloß hinter ihm geräuschlos die Tür. Wir setzten uns leise. Er öffnete das Klassenbuch, um die Stunde einzutragen, und man hörte das Quietschen der Feder. Dann rief er uns auf, einen nach dem anderen, der Betreffende ging nach vorn, Rilkow nannte die Zensur und gab ihm das Heft.

Ich wurde nicht aufgerufen. Mein Heft lag noch auf dem Pult, und alle sahen mich an. Irgendeinem rollte der Bleistift auf den Boden. Ich machte ein langweiliges Gesicht und heuchelte Harmlosigkeit.

»Welche Zensur haben Sie nach Ihrer Meinung verdient?«

Ich klemmte mich halb aus der Bank. »Genügend?« fragte ich bescheiden.

»Und wenn Sie ganz ehrlich sind?«

»Sehr gut, Herr Studienrat.«

Er würdigte mich keines Blickes mehr. Ich durfte mir das Heft vom Katheder nehmen. Wieder auf meinem Platz, schlug ich es auf: ›Trotz des teilweise mangelhaften Stiles Gesamtprädikat sehr gut.‹ – Und dahinter ein kleines Minus.

Abends saß ich in meinem Dachkämmerchen mit den schrägen Wänden. Durch das kleine Fenster sah ich die tiefhängenden Wolken mit dem Schimmer der Großstadt, und das komplizierte Dach des Bankgebäudes mit Türmchen aus Stuck und Zinkblech, die in gleichmäßigen Intervallen blau und rot aufleuchteten durch die Lichtreklame von DENDI, dem Schuhputzmittel der eleganten Welt. Und von unten hörte ich das Summen der Straßenbahnen, Hupen der Autos und kreischendes Bremsen, das Zuschlagen der Wagentüren und die Stimmen der Zeitungsmänner. Ich schrieb ein Gedicht an Jane, nicht in Englisch und nicht in Reimen, denn es blieb für mich. Die Tür hinter mir ging auf und schloß sich wieder, Mama beugte sich über meine Schulter und las das Gedicht: »Das hört mir jetzt auf. Morgen meldest du dich zu einer Tanzstunde an.«

»Ja, Mama.«

Am nächsten Morgen in der Pause erzählte ich es den anderen. So nebenbei. Sie hörten nicht einmal richtig hin und unterhielten sich weiter vom Negus, der Italien angegriffen hatte.

Aber plötzlich zog über das Gesicht von Spatz ein Grinsen: So eine Tanzschule, die hätte doch auch einen Lehrer?

Klar, was denn sonst!

Nun wurden auch die anderen lebendig. Einen Lehrer?

»Oder vielleicht«, rief der Boom, »vielleicht sogar eine Lehrerin.«

Mensch!

Ich versprach, ihnen immer alles zu erzählen.

»Da verlaß ich mich nicht darauf«, rief der Boom, »der schwindelt immer so viel dazu.« Und sagte, er mache mit.

Nachmittags holte er mich ab. Natürlich sollten wir in die beste Tanzschule gehen. Aber der Boom meinte, die besten Mädchen machten nicht immer den meisten Spaß und müßten auch pünktlich zu Hause sein.

Als wir auf die Straße traten, stand am Rinnstein der stille Heini Schmitz, der immer gute Zeugnisse hatte und Frauenarzt werden wollte, und schloß sich uns an. Nicht weil er Angst hatte, daß wir zuviel erzählten, sondern zu wenig.

›Klassisches Ballett und moderne Gesellschaftstänze‹. Neben einem winzigen Schreibtisch aus Mahagoni saß eine junge Dame mit hohen Absätzen, die uns gleich sehr gefiel. Wir mußten ihr unsere Namen nennen, den Beruf unserer Väter, und jeder seinen Zwanzig-Mark-Schein abgeben, den er von den Eltern hatte. Nur der Heini Schmitz bezahlte gleich die ganzen Sechzig, denn sein Vater hatte eine Kohlenhandlung.

Drei Wochen später betraten wir das Haus in dunklen Anzügen. In der Garderobe drängten sich kämmende Mädchen. Es roch nach Kölnisch Wasser und ›Tosca‹. Ob man ihnen aus den Mänteln helfen muß? Wir drückten uns abseits zu einem Häuflein zusammen. Die Tür zum hellerleuchteten Tanzsaal stand offen. Wie sprachen über sphärische Dreiecke und steckten abwechselnd die linke und die rechte Hand in die Hosentasche.

»Bitte die Herren!« – Wir schlenderten hinter den anderen her, wir hatten es natürlich nicht eilig.

Auf schmalen Bänkchen mit vergoldeten Beinen saßen die jungen Damen: Ein schwarzes Kleid aus Löchern, blitzende Augen und etwas hochmütige Zähne. Etwas Dickes in Rosa mit gespreizten Knien. Ein nichtssagendes Blau mit Spitzenkrägelchen und Gesicht wie Schulaufgaben. Ein hochgeschlossenes Wollkleid mit Riesenknöpfen und einem übermütigen Wuschelkopf. Eine klassische Nase mit schwarzem Scheitel und zu kurzen Beinen. Eine Bleiche ganz in Grün und mit kluger Brille. Eine Riesige, deren Umfang endlos schien, und deren Anblick mich schüchtern –

»Die Herren bitte auf die andere Seite!« – So kamen wir heute noch nicht in Berührung mit Spitzenkrägelchen, Wuschelkopf und Rosa, sondern verweilten vorerst beim Theoretischen:

Die Treppe aufwärts zum Beispiel geht der Herr voran. – Warum wohl? – »Weil vielleicht ein Eimer im Wege steht«, meinte der Boom. – Oh, im allgemeinen stehen aber keine Eimer im Weg. Und die Treppe abwärts läßt er die Dame vorangehen. Bei der Begrüßung macht der Herr eine Verbeugung. – Vielleicht macht es einer der Herren einmal vor? – Sehr schön. Und der verheirateten Dame gibt man einen Handkuß, der unverheirateten Dame hingegen nicht. – »Warum nicht?« fragte der stille Heini.

»Weil sie doch einen Mund hat!« rief ich. Die Tanzlehrerin, schon reifer, aber noch biegsam, mitten auf dem leeren Parkett, räusperte sich strafend. Die mit dem Wuschelkopf lachte. Das Lachen verging ihr, als sie in der nächsten Stunde mit mir tanzen mußte.

Denn ich nahm das Tanzen ernst. Und wenn ich etwas ernst nehme, dann nehme ich es besonders ernst. Wir sollten lange Schritte machen, und ich machte lange Schritte, rutschte dabei entweder nach hinten aus, oder gelangte nach vorn in fremde Beine hinein. Und aus lauter Angst, im Takt zu spät zu kommen, eilte ich immer schon etwas voraus. Dann war ich wieder zu früh, ich bremste ab und kam das nächste Mal wieder zu spät und riß meine ahnungslose Partnerin jäh in die Kurve, denn im Takt muß man bleiben, sonst stimmt das nachher mit dem anderen Fuß nicht mehr. Mir wurde warm dabei, doch meine Partnerin wurde immer kühler.

Es waren aber genug Damen vorhanden, und bei jedem Tanz blieben auf dem Bänkchen noch ein paar übrig. – Dem Boom taten sie leid, denn es waren immer dieselben. Und während ich mir alle Mühe gab, die Hübschen der Reihe nach durchzuprobieren, und ich feststellte, daß sich eigentlich jede anders anfühlt, tanzte Boom unentwegt mit denen, die sonst nicht getanzt wurden. Und empfing dafür dankbare Blicke.

Der stille Heini mit praktischem Sinn hatte bereits ein für allemal seine Wahl getroffen; so wie er sein Geld nicht in flüchtigen Zigaretten aufgehen ließ, sondern es anlegte in Briefmarken und Krawatten, war er auch hier mehr für eine bleibende Anschaffung: Ein vornehmes Geschöpf, das statt ei immer eu sagte und beim Tanzen beleidigt auf den Boden sah.

Dann war Pause. Draußen war es dunkel geworden, und man stand in einem kleinen Garten, wischte sich mit dem Taschentuch über die Stirn und fror ein bißchen.

Der Boom war umringt von seiner Damenschar und erzählte Geschichten aus der Schule. In einer Ecke stand der Heini Schmitz, lutschte nahrhafte Malzbonbons und erklärte seiner Anschaffung die Vorzüge des Vielkindersystems. Ich aber stand verlassen und zündete immer wieder meine Pfeife an, die nicht ziehen wollte. Und die hübschen Mädchen, mit denen ich getanzt hatte, lustwandelten mit anderen über den Kies. Boom erzählte noch immer, und ich hörte lustiges Lachen und Quietschen.

Im gelüfteten Tanzsaal setzte wieder der Plattenspieler ein. Die Mauerblümchen sind viel netter, dachte ich. Tango: Regentropfen, die an das Fenster klopfen. Ich verbeugte mich vor der Langen. Und die ersten sechs Schritte gingen auch ganz gut, denn es ging nur geradeaus. Dann wollte sie drei Seitwärtsschritte, ich aber wollte drehen. Wir stießen gegeneinander und standen. Mit dem einen Fuß fand ich festen Halt an der Wandleiste und drückte mich ab. Sie stand fest wie ein Klavier. Ich stemmte mit der linken Schulter, aber drehen tat sich noch immer nichts. Die anderen Paare glitten an uns vorbei. Mit dem linken Fuß angelte ich nach einer elektrischen Schnur und zog damit den Stecker aus der Wand. Die Regentropfen machten »Ua-uaooh-« und vergingen. Ich führte meine Partnerin auf ihren Platz zurück und atmete tief.

Die nächsten Tänze tat ich mit der Bleichen in Grün. Sie war geduldig und bei weitem die Schmiegsamste von allen. Ich bekam sie richtig lieb.

Aber als es nur noch zehn Minuten bis zum Ende waren, dachte ich an das Nachhausebringen und führte den Wuschelkopf über das Parkett. »Wohnen Sie weit?« fragte ich vorsichtig, wobei ich fast wieder aus dem Takt geriet.

»Ja, sehr!«

Gut! »Darf ich Sie nach Hause begleiten gnädiges Fräulein?«

»Sie können es ja versuchen«, lachte sie.

Damit ich sie nicht verliere, blieb ich in der Garderobe dauernd hinter ihr, und hätte ihr beinahe noch in den Hut geholfen. Auf der Straße reichte ich ihr den Arm. Sie kramte in ihrem Handtäschchen, holte einen winzigen Schlüssel hervor, schloß ein Fahrrad auf, das ich im Dunkeln nicht gesehen hatte, und schwang sich darauf.

Durch die Tür kamen Damen und Herren. Der stille Heini mit seiner festen Wahl. Und der kleine Boom gleich mit dreien.

Ich zog den Hut, denn nun kam die Schmiegsame in Grün mit der klugen Brille.

Wir gingen nebeneinander her, Häuserblock auf Häuserblock, und ich überlegte die ganze Zeit, worüber man reden könnte. »Wie finden Sie meinen Freund, den kleinen Boom? – Ein feiner Kerl, nicht wahr? – Ich meine, weil er doch immer nur mit den Mauerblümchen tanzt. Finden Sie nicht auch?«

Keine Antwort. Vielleicht war das mit den Mauerblümchen auch falsch.

»Wissen Sie, die hübschen Mädchen sind nämlich furchtbar albern.«

Erst recht keine Antwort. Vielleicht war das auch wieder falsch. Wir waren in den Hofgarten gekommen, und um es wieder gutzumachen, blieb ich plötzlich stehen und gab ihr schnell einen Kuß auf die Schläfe, wobei ich auf den Bügel ihrer Brille geriet.

Peng! machte mein linkes Ohr.

Bis zum nächsten Freitag hatte ich mich wieder erholt und eilte beschwingt zur nächsten Tanzstunde.

Natürlich waren wir nicht mehr befangen, sondern standen – während der Pick up noch schwieg – lässig auf dem glatten Parkett und schauten uns im Kreise um. Wohlgefällig bemerkte ich, daß die jungen Damen zu mir hinschauten und tuschelten.

Zu Anfang einen Foxtrott. Bitte schön! – Ich schritt auf das schwarze Kleid mit den vielen Löchern zu und neigte auffordernd den Kopf.

»Danke, ich tanze nicht.« Und weil daneben gerade der Wuschelkopf saß, drehte ich mich nur ein bißchen und verbeugte mich nochmals.

»Nein. Ich bin Ihnen doch zu albern.«

Ich fühlte, daß ich langsam rot wurde, verbeugte mich vor der Rosa mit gespreizten Knien und stieß dabei mit dem kleinen Boom zusammen.

»Ich habe was mit dem Fuß«, erwiderte die Rosa und guckte verlegen auf ihre Hände. Die meisten Paare tanzten schon. Boom sah sich verwirrt um, erblickte die Riesendame und schlitterte zu ihr hinüber. Auch vergebens!

»Wo denken Sie hin!«

Und in einer Ecke stand Heini Schmitz und sah wütend zu, wie seine Anschaffung mit einem anderen tanzte, der nicht nur über Vielkindersystem sprach.

Es vergingen noch zwei Tänze, bis wir die neue Lage begriffen. Die Schmiegsame mit der klugen Brille hatte alles weitererzählt.

So wollten die hübschen Mädchen nicht mehr mit mir tanzen, weil ich sie albern genannt hatte, und mir blieben nur die Mauerblümchen. Und die Mauerblümchen wollten mit dem Boom nicht mehr tanzen, weil jede wußte, daß er mit den Mauerblümchen tanzt. Und dem Boom blieben nur noch die Hübschen, die über jeden Verdacht erhaben waren.

Hinterher hätte ich gern in der Altstadt ein Glas Bier getrunken. Aber in der Garderobe hatte der kleine Boom unter dem Arm schon die Handtasche der klassischen Nase, und der Heini Schmitz war in der Pause nach Hause gegangen.

Auf der Straße wartete die Grüne auf mich.

So ging ich wieder neben ihr her. Und dachte an das ›Peng‹ und daran, daß sie es auch noch weitererzählt hatte. Trotzdem klopfte mir das Herz, und deshalb wurde ich nur noch böser auf sie. Und ich schwieg verbissen.

»So gefallen Sie mir viel besser«, sagte die Grüne nach einer Weile, »denn solange Sie reden, sind Sie furchtbar arrogant.«

»So?« Eigentlich hatte ich schweigen wollen.

»Und deshalb kann Sie auch keiner richtig leiden.«

»So! – Und warum haben Sie vor der Tür auf mich gewartet?«

»In der Garderobe wollte ich es nicht. Sie sind nämlich eitel und wollen es vor den anderen nicht wahrhaben, daß Sie mich nach Hause bringen.«

»So! – Und warum haben Sie das weitererzählt, das vom ersten Mal?«

»Ach!« Nach einer kleinen Weile kleinlaut: »Ein bißchen eitel bin ich nämlich auch. Und ich hatte mich doch darüber gefreut!«

»So! Und deshalb haben Sie mir eine heruntergehauen?«

»Sind Sie aber dumm!«

»Haben Sie eine Ahnung! Es ist schließlich nicht das erste Mal, daß –«

»Möglich.« Ich fühlte, wie sie im Dunkeln lachte. »Aber deshalb brauchen Sie sich nicht einzubilden, daß Sie erfahren sind. Das werden Sie übrigens nie sein, und wenn Sie noch so viel erleben.«

Wir waren in den Hofgarten gekommen. Und dann war sie es, die stehenblieb!

Am nächsten Dienstag, als ich mir gerade gute Schuhe anzog, erschienen der Heini Schmitz und der kleine Boom. Sie standen in Mänteln herum, während ich mir noch schnell die Nägel polierte.

»Wozu tust du das?« fragte der Heini Schmitz plötzlich. »Für dein Mauerblümchen mit der Brille?«

»Und warum gehst du überhaupt hin?« fragte ich böse zurück. »Für deine Lotte Bemberg, die mit den anderen tanzt?«

»Jawohl, nicht wahr?« rief aufgeregt der kleine Boom. »Was sollen wir da überhaupt?«

»Sei du mal still, du hast doch jetzt die Hübschen!«

»Da hast du mir was Schönes eingebrockt!«

»Sei doch froh!«

»Hast du eine Ahnung! Die Hübschen machen Ansprüche, sage ich dir. Die eine wollte mit dem Taxi gefahren werden. Da habe ich statt dessen eine andere nach Hause gebracht; aber mit der mußte ich unterwegs noch unbedingt einen Vino Vermouth trinken. Und dann kam auch noch eine olle Frau mit Blumen!«

Wir lehnten an den Schränken. »Dann bleiben wir doch am besten zu Hause«, meinte der Heini Schmitz logisch. »Die Hübschen sind anspruchsvoll, und für die anderen lohnt es nicht. Vielleicht kriegen wir auch das Geld zurück und können uns dann dafür etwas Vernünftiges kaufen.«

Jawohl!

Und da jeder offenbar noch etwas zu besorgen hatte, verließen wir zusammen das Haus und trennten uns in verschiedene Richtungen.

Ich vergewisserte mich, daß die anderen mich nicht mehr sahen, und fiel in gelinden Trab.

Als ich in die Garderobe kam, hing der Boom da gerade seinen Hut auf. Und dann stürzte, etwas außer Atem, durch die Tür der Heini Schmitz. – Wir sahen uns verlegen an.

Schließlich meinte der Heini Schmitz: »Das Geld haben wir ja nicht bezahlt zum Poussieren, sondern um tanzen zu lernen.«

Da hatte er wieder recht. Und ich vergewisserte mich, daß unter den vielen Mänteln auch der von der Schmiegsamen in Grün hing.

Mit einem unwilligen ›Prärr‹ schaltete der Motor herunter, der Autobus bremste, und dann schaukelten wir langsam über einen Bahnübergang. Spatz, in der Fensterecke mir gegenüber, verschluckte sich im Schnarchen und sah einen Augenblick blöde auf. Palm sank noch ein wenig auf die Seite, den Finger im Knopfloch seines Überziehers. Der Kopf vom Klosterkamp lag fast auf seinen Knien, und er merkte noch immer nicht, daß ihm der Boom seinen Koffer auf das Holzbein gestellt hatte. Nur der Heini Schmitz sah aufmerksam durch das Fenster, denn wenn die Reise auch von der Schule veranstaltet war, so hatte er sein Geld bezahlt und wollte dafür etwas sehen.

Der Mittelteil des Autobusses war von der Parallelklasse besetzt, die als brave Schüler zuweilen ein echtes Fahrtenlied anstimmten, von dunklen Pfaden, blauen Blumen und nächtlichem Feuer, wobei es in der Luft leicht nach Dieselöl roch.

Wir rollten zwischen niedrigen Häusern durch und hielten auf dem Marktplatz eines Städtchens mit bunten Häusergiebeln und Hängeschildern aus Schmiedeeisen. Die Eingeborenen blieben stehen und sahen zu, wie wir ausstiegen; ich hielt mich etwas abseits von den anderen, denn ich reiste sonst allein. Aber dann mußten wir uns zu dreien aufstellen. Unsere Lehrer setzten sich an die Spitze, der Geographielehrer mit Skimütze zum Paletot und den Wanderstock geschultert, und Studienrat Anton trotz der kalten Witterung den Hut mit einer Klemme vor den Bauch gehängt und unter dem Arm die uralte Aktentasche mit Sezierbesteck und kleinen Glasröhrchen mit Wattepfröpfchen, für den Fall, daß er eine tote Maus findet, oder wir vielleicht einen Hund überfahren. So marschierten wir in eine Kirche. Erstmalig erbaut im Jahre 1512 durch den Beromünsterorden abgebrannt im Jahre 1621 wieder aufgebaut durch Abt Gaschpary links davon der Grabdeckel des berühmten Meisters mit der Inschrift Emil des Folgsamen und seiner Gemahlin, abermals abgebrannt im Jahre 1795 wieder aufgebaut 1810 die Glocken wurden gestiftet von dem Kaufmann Muggler dessen Bildnis Sie hinter dem Apostel Paulus sehen der Altar ist ein Werk – –. Ich ging mir inzwischen ein Päckchen Tabak kaufen.

Dann rollten wir über die Autobahn, ein Geschenk unseres Führers.

Studienrat Anton, der dicht hinter dem Fahrer saß, drehte sich um: »Raucht da jemand?«

»Nei-hein!« riefen wir entrüstet nach vorn.

»Doch«, sagte einer aus der Parallelklasse, »das riecht deutlich nach Pfeife.« Ich schlief. Unser Erdkundelehrer hangelte sich durch den langen Autobus bis nach hinten zu uns. Ich schlief immer noch. – »Kommen Sie lieber nach vorn!« Ich plinkerte verständnislos mit den Augen und folgte ihm achselzuckend. Die Lehrer setzten mich zwischen sich.

»Heute abend können Sie noch genug rauchen«, sagte Studienrat Anton, »Sie sollten dafür lieber mehr essen!«

Ich packte meinen Rucksack aus, schmierte eine Scheibe Schwarzbrot, kramte eine Muskatreibe hervor und einen steinharten Kegel Kräuterkäse und begann, ihn kräftig über dem Butterbrot zu zerreiben. In der Luft hing ein feiner Nebel wie Schwefelblüte. Studienrat Anton nieste. Ich rieb, was das Zeug hielt. Der Fahrer am Lenkrad schnupperte hörbar und schloß die Lüftungsklappe, weil er dachte, es käme von draußen. Ich biß in die Schnitte, wobei sich nicht vermeiden ließ, daß beim Ausatmen die Luft von meinen Nasenlöchern noch mehr Käse aufstaubte.

»Könnten Sie nicht etwas anderes essen?«

»Nein«, sagte ich, »der ist gut fürs Herz«, und bereitete die zweite Stulle vor, denn der Appetit kommt beim Essen.

»Dieser Käse«, der Erdkundelehrer hatte eine bleiche Stirn, »dieser Käse ist eine Unhöflichkeit gegenüber Ihren Mitmenschen, beziehungsweise denen, die neben Ihnen sitzen müssen.«

»Vielleicht«, schlug ich bescheiden vor, »wenn Sie so lange – sich vielleicht woanders –«

Nun wurde es selbst dem Anton zuviel: »Wenn hier jemand wegen Ihres Käse seinen Platz wechselt, so sind das nicht Ihre Lehrer, sondern Sie.«

Befriedigt zog ich wieder nach hinten.

Ich hatte aber nichts davon, denn die nächste Kirche war in Sicht. Erbaut und abgebrannt und wieder erbaut und wieder abgebrannt. Es schien zu einer ordentlichen Kirche zu gehören, daß sie immer wieder kaputt geht. Und das ist doch eigentlich recht verwunderlich.

Wieder im Autobus, hielt uns unser Geographielehrer, bei dem wir auch Turnen hatten, einen Vortrag über deutsche Baukunst. Rund ist romanisch, spitz ist gotisch, verstanden? Und die Gotik ist aus den germanischen Lanzenhallen entstanden.

»Dann haben die Germanen aber lange gehalten!« rief der Spatz dazwischen. Und auch ich widersprach: »Die Gotik ist doch, um den Seitenschub des Dachgewölbes durch schräge Streben abzufangen, um Material zu sparen!« Das hatte ich von meinem Vater gelernt.

»Diese zersetzende Art der Kunstbetrachtung müssen Sie sich gründlich abgewöhnen.«

Denn unsere Fahrt ging ins Schulungsheim.

Es war Nacht geworden. Wir fuhren in eine große Stadt ein; in den Straßen lag geräumter Schnee.

Am nächsten Tag kamen noch mehr Kirchen, immer kleiner werdend und mit Zwiebeltürmchen, denn wir waren schon im Süden. »Fertigmachen! Gotteshaus!« rief jedesmal der Fahrer und grinste in den Rückspiegel. Wir wurden angehalten, alles aufzuschreiben, denn offenbar war ein Aufsatz geplant. Nummer siebenunddreißig: Ein Turm, sechs Säulen, je ein Schiff auf beiden Seiten, bekannte Orgel, Türmchen über der Kanzel von Riemenschneider.

Das Schulungsheim war ein umgebauter Bauernhof mit Fahnenmast, Appellplatz und Luftschutzsirene. Vor der Tür standen in langen Reihen die Skier. Als ich Koffer und Rucksack ins Haus trug, betrachtete ich sie mit Mißtrauen, denn die Länge der Skier schien mir in ungünstigem Verhältnis zu stehen zum Hebelarm des Fußgelenkes (Drehmoment = Kraft × Kraftarm = Knochenverrenkungswahrscheinlichkeit).

In einem zum Saal ausgebauten Zimmer des oberen Stockwerkes standen etwa dreißig Betten beieinander. Der Ofen war kalt, und eine Klingel für das Zimmermädchen war auch nicht vorhanden.

Ich wanderte durch das Haus, vorbei an unzähligen Papierkästen und Verbotschildern aus Pappe. Es roch nach Desinfektionsmitteln. Vielleicht, dachte ich, gibt es hier irgendwo ein gemütliches Bauernstübchen. An den Türen stand: Küche, Eintritt verboten. Lehreraufenthaltsraum, Eintritt verboten. Untersuchungszimmer, war abgeschlossen. Abort, ich schloß schaudernd wieder die Tür, denn es war ein Gemeinschaftsraum, und ich ging ins Freie, weit weg vom Haus. Auf dem Rückweg traf ich den Boom. Er fror auch so in seinem seidenen Hemd und den Halbschuhen mit Socken. Wir rauchten gemeinschaftlich seine letzte Zigarette. Im Haus ging eine Trillerpfeife. In einem Saal mit Tischen und Bänken ohne Lehnen gab es Graupensuppe. Danach lernten wir ein Lied: Heute gehört uns Deutschland und morgen die ganze Welt.

In einem Waschraum mit nassem Steinfußboden empfing mich ein Chor von Gurgeln, Prusten, Bibbern und katarrhalischem Räuspern. Ich beschloß, mit dem Waschen zu warten, bis es vielleicht einmal wärmer würde.

Ich träumte von Kirchen auf Skiern und der Schmiegsamen in Grün. Schreckte plötzlich auf. Mitten in der Nacht blies jemand Trompete! Dann wurde die Tür aufgerissen, und unser Geographielehrer schrie aus dem Trainingsanzug: »Aufstehen!«

Feuer?

Ich sprang aus dem Bett. Aber die anderen zogen sich ohne Hast an und stiefelten mit nackten Oberkörpern in den Waschraum. Ich hing mir eine Decke um und folgte ihnen. Dort war es noch viel kälter geworden!

Ich legte mich wieder ins Bett, ich war nämlich krank. Und das sollte mir mal einer widerlegen!

Ich begann, von Drill und Gemeinschaft das zu denken, was ich schon immer gedacht hatte. Durch die geöffneten Fenster zog ein kalter Wind. Ich fühlte mich als Individuum. Aber dadurch, daß ich nun zu Bett blieb, war ich noch längst kein richtiges Individuum, sondern nur einer, der aus der Gemeinschaft gepurzelt war, ein Bruchstück. Ich zog mich eilig an und polterte die Treppe hinab.

Ich klemmte mich an den Tisch: »Gib mal einer die Butter!« – Es rührte sich keiner und alle schwiegen.

»Haben Sie nicht gehört«, rief der Geographielehrer, »ich habe Ihnen ausdrücklich verboten, beim Frühstück miteinander zu reden.«

»Wenn ich doch nur die Butter hätte«, sagte ich laut, aber nicht zu den anderen, sondern zu mir.

»Boom«, sagte der Boom zu sich selbst, »der glaubt tatsächlich, das wäre Butter!« – »Und dabei ist es nur Margarine«, sagte der Spatz zum Spatz. – »Und für fünf Mark pro Tag, lieber Helmut«, sagte der Helmut Erbsmehl, »könnte man dir auch etwas Besseres geben als Margarine.«

Da wurde uns auch das Sprechen mit uns selbst verboten.

»Muh«, machte ich und war froh, nicht im Bett geblieben zu sein.

»Was wollten Sie damit sagen?« fragte der Geographielehrer.

»Nichts, Herr Studienrat.« – Er sah mich böse an.

»Bestimmt nicht, Herr Studienrat, denn wir dürfen ja gar nichts sagen.«

»Dann unterlassen Sie bitte auch das Muh!« Und zu den anderen gewendet: »Und jetzt wünsche ich keinen Ton mehr zu hören! Verstanden?«

Wir nickten stumm.

»Können Sie nicht reden?«

Wir schüttelten lautlos die Köpfe, denn die Töne waren uns verboten.

»Aufstehen!« – Er führte uns hinaus in den Schnee, und während drinnen der Kaffee kalt wurde, und die angebissenen Brote einsam auf den Plätzen lagen, mußten wir Freiübungen machen.

Da es dafür keine Kommandos gibt, mußte der Geographielehrer alles mitmachen und stand mit gespreizten Beinen in ebenso tiefem Schnee wie wir, verrenkte sich die Hüften und beugte sich nach vorn, um mit den Fingerspitzen an den Boden zu gelangen. Und inzwischen wurde sein Kaffee genau so kalt. Und nun drehte er die Arme wie ein Propeller.

Plötzlich hielt er ein. »Sie bewegen sich geradezu wie Hampelmänner!«

»Wir sollen doch alles nachmachen«, entfuhr es dem Boom, der bei Freiübungen dieselben Empfindungen hatte wie ich.

Aber nun wurde es ernst. Wir mußten aufschließen und rechtsum machen: »Im Laufschritt – marsch-marsch!«

Die Fenster vom Speisesaal wurden aufgestoßen; die Frühstückszeit war zu Ende. Wir liefen Marsch-marsch.

»Das Ganze – kehrt!«

Ich, als Längster an der Spitze, hatte das wohl nicht richtig gehört. Und die anderen konnten nicht ohne Spitze kehrt machen.

»Das Ganze – kehrt!!« Es klang schon etwas ferner und auch nicht mehr ganz deutlich.

»Zurückkommen!«

Wenn es doch kein Frühstück mehr gibt! Und ich fühlte, wie mir das Laufen wohltat.

»Zurü-ck!«

Aber das konnte keiner mehr hören.

›Buff-buff-buff‹ machten unsere Schuhe im Schnee. Die Landschaft glitzerte, und über den Bergen war ein roter Saum der aufgehenden Sonne.

»Sch-sch-sch-«, rief der Palm in ehrlicher Bewunderung. »Schön«, meinte er. Wir liefen längst nicht mehr, sondern zogen gemächlich in die Landschaft hinein. Nur die Ellenbogen hielten wir immer noch angewinkelt als Zeichen des befohlenen Laufschrittes. Nach einer Stunde erreichten wir ein Dorf, das im Schnee aussah, als sei es in Watte gepackt. Pferde zogen mit Geläut knarrende Schlitten, und aus offenen Stalltüren drang ein warmer Hauch und das Klirren der Ketten. Wir kehrten in dem Gasthaus ein, gegenüber der Kirche, und holten kräftig unser Frühstück nach mit Schweizerkäse und dunklem Bier. Dann lehnten wir wohlig unsere Rücken an den buckligen Kachelofen; es gab billige Virginias aus Österreich und noch mehr dunkles Bier. In der gegenüberliegenden Ecke hing ein geschmücktes Marienbild. Und daneben eine Papptafel ›Juden unerwünscht‹.

Wir harrten der weiteren Kommandos. Bald würde uns der Geographielehrer eingeholt haben. Oh, bitte, wir haben nur ein bißchen Rast gemacht, Herr Studienrat, weil wir außer Atem waren, aber natürlich wollen wir gern noch etwas weiterlaufen. Haha! Wir machten uns Mut, schlugen uns auf die Knie und warfen zuweilen einen besorgten Blick durch die Fenster.

Die Zeit verrann. Jede Stunde schlug scheppernd eine alte Wanduhr. Die Gespräche trockneten ein. Der kalte Rauch der Virginias legte sich auf die Tische.

Wenn wir nach Hause gehen, dachte ich, dann geben wir damit zu, ein schlechtes Gewissen zu haben. Wenn wir noch weiter hierbleiben, dachte ich, wird die Situation mit jeder Stunde prekärer für uns.

»Wie ist das Ganze eigentlich gekommen?« fragte unvermittelt der Heini Schmitz.

Vielleicht sollte einmal einer im Schulungsheim anrufen –? Es blieb an mir hängen; das Telefon befand sich in der Küche neben dem Herd: »Hallo! Hier Oberprima – beziehungsweise ich. Sind bereits in Freihofen und wollten nur fragen, ob wir noch weiter im Laufschritt – –.« Drüben hatte man eingehängt.

Als ich in die Gaststube zurückkam, hatten die anderen schon gezahlt und waren aufgestanden. Trübselig trotteten wir nach Hause. Wenn die anderen nicht gelaufen wären, wäre ich auch nicht mitgelaufen, dachte ein jeder. Die Sonne war untergegangen, und wir hatten keine Mäntel. Zähneklappernd fielen wir in Laufschritt, nunmehr freiwillig.

Aus dem Gemeinschaftsraum drang fröhlicher Lärm. – »Geh du voran«, sagte der Erbsmehl. Ich stieß die Tür auf und war einen Augenblick geblendet. Ich gab mir einen inwendigen Stoß: »Guten Abend allerseits!«

»Guten Abend«, grüßten die Lehrer freundlich zurück von ihrem Tisch aus.

Mir verschlug es die Schritte, und der Spatz rannte mir auf die Hacken auf. Wir verkrümelten uns an einen Tisch. Die Lehrer und die von der Parallelklasse hatten rotgebrannte Gesichter. Jemand probierte zur Laute, und die Stimmen schwirrten durcheinander. Und wir hörten seltsame Worte wie ›in die Hocke gehen‹, ›Stemmbogen‹, ›Backenbremse‹ und ›Kristiania‹.

Denn während wir mit schlechtem Gewissen in dem Gasthaus saßen, hatten die anderen Skilaufen gelernt!

Wir blieben recht schweigsam. – »Das hättest du auch nicht machen sollen!« meinte der Heini Schmitz.

Wieso ich?

Wir gingen zu Bett und jemand knipste das Licht aus. Aus den Betten der Parallelklasse hörte man noch angeregtes Flüstern über Pulverschnee und Steigwachs.

»Ruhe!« fauchte der Spatz.

»Ruhe!« fauchten auch wir.

Denn wir waren plötzlich für Ordnung.

Am nächsten Tag wurde natürlich nicht Ski gelaufen. Statt dessen lernten wir nach dem Frühstück Karten lesen. Dann zogen wir mit dem Kompaß durch das kalte Gelände und mußten Bäume in der Ferne beschreiben, auf die man mit einer Kanone zielen kann. Vor dem Mittagessen gab es Paradeschritt, und nach dem Mittagessen (Bohnen ohne Speck) einen Vortrag über Nietzsche, den Künder von Übermensch und Nationalsozialismus. Dann gab es Malzkaffee und noch einen Vortrag über nordische, dinarische, ostische und fälische Menschen. Und dann mußten wir uns gegenseitig angucken, unsere Köpfe mit dem Zollstock messen und voneinander feststellen, zu welcher Sorte der andere gehört.

Nach Angaben des Zollstockes und der Abbildungstafeln war ich nordisch. (›Der nordische Mensch, hochgewachsen und ernst, strebt, wie ein abgeschossener Pfeil, im Fluge und unaufhaltsam seinem Ziele zu.‹) Der Geographielehrer sah mich aus den Ecken seiner Augen an und hatte plötzlich Zweifel an der Rassenlehre. Aber Studienrat Anton, der Aufsatzthemen und Vorträge bestimmte, hielt mich nun für geeignet, in acht Tagen einen Vortrag zu halten über jüdische Literatur. Ich telefonierte auf Kosten der Schule mit Papa, und nach drei Tagen kam ein Paket mit Büchern, dessen Umfang Räuspern verursachte, weil es Bücher waren, die es nicht mehr geben durfte.

Und während die anderen weiter durch das Gelände geführt wurden, Erderhebungen schätzen mußten und Entfernungen, durfte ich im warmen Lehrerzimmer sitzen und ungestraft jüdische Dichter lesen.

Gemütlich verging die Woche. Dann wurden im Gemeinschaftssaal Bänke aufgestellt und gegenüber ein Tisch mit Leselampe. Und die Lehrer befahlen meinetwegen Ruhe.

»Meine sehr geehrten Lehrer, liebe Mitschüler!« – Erst sprach ich im allgemeinen darüber, dann kam ich zu den Beispielen. Und las Heines Gedicht von den Küßchen:

»Ich wollt', deine Küsse,
das wären Erbsen fein,
ich kocht' mir eine Erbsensuppe,
die sollte köstlich sein.«

Pfui, wie der Heine mit der Liebe umgeht!

Ich las Egon Erwin Kisch. – Da sieht man es mal wieder!

Ich las Stefan Zweig, und die Lehrer gerieten in Zorn, aber diesmal nur auf Stefan Zweig. Und ich führte weitere Beispiele an für das Ferment der Destruktion und den bekanntlichen Pferdefuß. Und dann öffnete ich wieder ein Buch, wartete bis Ruhe herrschte, und las:

»Definition der Germanen – Doppelpunkt – Gehorsam und lange Beine.«

»So was!« riefen welche. – »Pfui!« rief die Parallelklasse.

Der Geographielehrer erhob sich und sagte, dies seien die Subjekte, die unsere Tugenden in den Schmutz zögen. »Und welcher Schmierfink«, fragte er mich, »hat dies geschrieben?«

Ich klappte das Buch zu, wendete es um und sah auf den Rücken.

Ich blickte erschrocken auf, drehte das Buch verlegen in meiner Hand: »Da muß ich mich wohl vergriffen haben, das ist nämlich aus der ›Morgenröte‹. Band vier von – Nietzsche.«

Ein anderes Ende meines Vortrags hörte ich durch die Tür: Im Kampf gegen die Reaktion hatte Nietzsche sich ein Kopfleiden zugezogen und dabei wohl versehentlich solche Dinge geschrieben. Wenn sie ihm nicht heimtückische Verleger in der Systemzeit bösartig unterschoben haben.

Nun hätte ich die Bücher wieder nach Hause schicken können. Aber die beiden Lehrer hatten sich damit eingeschlossen. Studienrat Anton las kopfschüttelnd Nietzsche, wie er nicht in den NS-Schulungsheften stand, und der Geographie- und Turnlehrer las Heinrich Heine.

Beim nächsten Appell zum Postempfang erhielt ich einen Brief der Schmiegsamen in Grün. Es war ein Kuvert aus zartem knisterndem Papier, und das hatte einen leichten, ganz leichten Duft nach irgend etwas. Reihe rechts! Einmarsch in den Speisesaal. Ich barg das Kuvert in der Brusttasche. – Während des übrigen Tages, bei Kleinkaliberschießen und einer Lesung aus dem ›Mythos des 20. Jahrhunderts‹, zog ich das Briefchen aus der Tasche und roch zuweilen daran. Einmal sah ich die Augen von Studienrat Anton auf mich gerichtet. Er tat mir aufrichtig leid, denn Liebe ist nicht Biologie mit achtundvierzig Chromosomen und Äquatorialteilung, sondern etwas ganz, ganz anderes!

Nach dem Abendessen war Freizeit. Sie fand im Saale statt, an denselben Tischen und Bänken ohne Lehne. Wir durften singen, ein wenig rauchen oder Briefe schreiben. Mit der Nagelschere öffnete ich behutsam das zarte Kuvert.

Ich hatte nie geahnt, wie leidenschaftlich die Grüne war. Und ich schraubte schwungvoll die Kappe vom Füllfederhalter. In einer Ecke sangen welche ein Marschlied zur Klampfe. Klobige Skistiefel unter den abwaschfeuchten Tischen. Grelle Deckenbeleuchtung unter weißen Emailleschirmen. An der Wand noch die entrollte Karte der Parteiuniformen. Im Geiste sah ich die Grüne vor mir mit den rotschimmernden Haaren: ›Geliebte!‹ – In diesem Sinne fuhr ich fort.

»van Tast soll mal rauskommen!« – In der Küche ging ein Wasserkran nicht mehr zu. Geschmeichelt bastelte ich zwei Stunden und folgte dann den anderen ins Bett.

Meinen Füllfederhalter fand ich am nächsten Morgen noch auf demselben Platz. Den angefangenen Brief aber nicht!

Und dann hing an unserem hölzernen Postkasten, in den wir unsere Briefe warfen, eine Papptafel:

›Abgehende Briefe stehen unter
Zensur. Die Briefumschläge sind
offen zu lassen.‹

Ich kochte.

Und am Abend schrieb ich einen Brief an meine Eltern:

›Meine lieben Eltern,
uns geht es – – – – –. Die Lehrer
sind – – – – – – – – – – – – – – – – – –
– –
– – – – – – – *)
Euer Euch liebender Sohn.
*) Von der Zensur gestrichen.‹

Das hatte ich auch im Heine gelesen, in einem Brief über die Zensoren. Und steckte das in den Kasten unter der Papptafel ›Kuvert ist offen zu lassen‹.

»Tast soll mal rauskommen!« – Kein Wasserkran, sondern böse Gesichter.

»Was soll das heißen??« Zwei ergraute Zeigefinger tupften auf die Gedankenstriche meines Briefes.

»Briefe sind eine Privatsache (ich kochte noch immer), und ich darf auch meiner Freundin schreiben, was ich will. Und ich darf auch eine Freundin haben. Hat mir mein Vater extra erlaubt.«

»Ob Sie eine Freundin haben, interessiert uns gar nicht.« Die beiden Lehrer saßen auf dem Sofa. »Aber daß Sie ihr schreiben, es gäbe hier immer nur Graupen und dicke Bohnen, das ist eine infame Verleumdung. Gestern zum Beispiel gab es noch Lungenhaschee.«

»Jawohl.«

»Und diese Gedankenstriche in dem Brief an Ihre Eltern – diese Gedankenstriche – –« Die Lehrer schnappten nach Gedankenstrichen.

»Ja, bitte?«

»Da haben Sie doch offenbar etwas schreiben wollen, irgend eine Frechheit, nicht wahr?«

»Oh nein.«

»Wieso nein? Wenn es keine Frechheiten gewesen wären, dann hätten Sie ja auch keine Gedankenstriche zu machen brauchen, beziehungsweise ›von der Zensur gestrichen‹, wie Sie da schreiben.«

»Vielleicht – vielleicht wäre es doch etwas gewesen, was nicht durch die Zensur gegangen wäre.«

»Sie geben es also zu.«

»Nein. Ich sage nur: vielleicht.«

»Dann hätten Sie keine Gedankenstriche zu machen brauchen.«

»Doch.«

»Na also. Und solche Frechheiten, die Sie da geschrieben hätten, verdienen eine gehörige Strafe.«

»Ich habe aber keine Frechheiten geschrieben.«

»Sie hätten sie aber geschrieben.«

»Ich kann doch nicht dafür bestraft werden, was ich geschrieben hätte. Man kann nur bestraft werden für das, was man getan hat.«

»Auch der Versuch ist strafbar. Wissen Sie das?«

»Ich habe es ja gar nicht versucht. Und außerdem können Sie auch nicht wissen, was ich geschrieben hätte.«

Beide Herren steckten sich bebend Zigarren an.

Der Geographielehrer: »Lassen wir das. Jedenfalls haben Sie unter den Brief geschrieben ›von der Zensur gestrichen‹. Und das zumindest ist eine Lüge, wir haben nichts gestrichen.«

»Sie hätten es aber gestrichen.«

»Halten Sie den Mund. Sie können gar nichts wissen, was wir hätten.«

»Ja eben. Und deshalb können auch Sie gar nicht wissen, was ich hätte.«

»Ja, wenn Sie das mit den Gedankenstrichen nicht gemacht hätten! Aber da Sie die Gedankenstriche gemacht haben, ist es uns ganz klar, was Sie geschrieben hätten, beziehungsweise Sie doch behaupten, daß wir es gestrichen hätten, – wenn Sie es geschrieben hätten.«

»Moment, Herr Kollege«, bat Studienrat Anton und wedelte durch den Zigarrenrauch, denn er war nicht ganz mitgekommen.

»Ich, bitte auch!« bat ich. »Und könnten Sie mir das Ganze bitte vielleicht noch einmal erklären.«

Studienrat Anton erhob sich vom Sofa und kam langsam auf mich zu: »Warum müssen Sie immer Ihre Lehrer ärgern?«

»Es tut mir aufrichtig leid, wenn sich meine Lehrer immer ärgern.«

»Nein, daß Sie Ihre Lehrer ärgern wollten mit Ihren Gedankenstrichen.«

Aber dann sah ich in zwei gütige graue Augen und nickte.

»Wenn Sie das schon zugeben«, kam es vom Geographielehrer, »dann nehmen Sie wenigstens die Hacken zusammen!«

Zwei Tage darauf stand vor unserer Tür der Autobus. Der Kursus wurde abgebrochen, weil das Abitur vorverlegt war. Ich stand spreizbeinig hinter dem Haus zwischen den verschneiten Pyramiden aus Brennholz, sah zu der schimmernden Alpenkette hinüber und ließ den dünnen klaren Wind über mein Gesicht streichen. Nicht einmal das Schulungsheim gönnen die einem in ganzer Länge! Das Poltern im Hause hatte aufgehört. Der Autobus hupte ungeduldig. Im Chor wurde mein Name gerufen.

Unterwegs hatte es der Autobus eilig. Ihn kümmerten keine gotischen Rathäuser und keine Kirchen. Und wir hätten uns so gern noch einiges angesehen. Aber er fuhr immer weiter und in die Nacht hinein. Worin werden sie einen prüfen? Klosterkamp und Palm hörten sich gegenseitig die Kohlenwasserstoffreihe ab.

Ich ging zum letzten Mal zur Schule. Vorbei an sorglosen Leuten, die heute kein Abitur machten. Ich trug einen Hut von Vater und einen artigen dunklen Anzug, der nicht auffällig war. Wahlfach: Physik. Da gibt es keine Politik, sondern nur Zahlen. Außerdem wollte ich Ingenieur werden. Diese Idee war von meiner Großmutter; jedesmal, wenn ich sie besuchte, durfte ich ihre eichene Standuhr reparieren. Es gelang mir zwar nie, sie für länger als eine Viertelstunde in Gang zu bringen. Aber auf meine Großmutter machte es einen gewaltigen Eindruck, wenn ich so viele kleine Rädchen auseinandernahm und wieder zusammensetzte und dabei noch welche fand, die gar nicht nötig waren, und mich beeindruckte das auch. Meine Großmutter war inzwischen gestorben, aber der Gedanke geblieben.

Und ich ging, auch das letzte Mal, durch das eiserne Schultor. In drei Stunden würde ich kein Schüler mehr sein, sondern ein Erwachsener, ohne Stundenplan, ohne Klassenbuch und Zehn-Uhr-Pause. Ich zog meinen Hut, um Abschied zu nehmen von dem Gebäude aus altersbraunen Ziegelsteinen. Aber unsere Schule war heute nicht mehr die alte, sie stand stumm und verschlossen. Selbst der Schulhof war leer, denn die anderen Klassen hatten heute frei. In einer Ecke traf ich auf das Häuflein meiner Kameraden. Der kleine Boom war wie ein Konfirmand. Der Pa-pa-palm kam mit einer gestreiften Krawatte. Der Spatz in nagelneuen karierten Knickerbockers, und die anderen mit aufgesetzten Kragen, die ungewohnt an ihren Hälsen rieben. – Auch meine Kameraden würde ich nun verlieren.

»Hast du A-a-angst?« fragte der Palm.

Der Spatz hatte meine Gedanken erraten: »Wir können ja auch nach der Schule zusammenbleiben.«

Wir gelobten es uns feierlich im kalten Morgen neben den abgesperrten Wasserkranen.

Wir müßten natürlich alle dasselbe studieren. Aber was? Der Gedanke lag nah: Lehrer! Wir lachten ein wenig. Der Chemielehrer erschien in der Tür und winkte.

Dann warteten wir weiter im Klassenzimmer der Quarta mit den vielen Bänken. An der Tafel stand unausgewischte Algebra mit Klammern. Spatz fand ein leeres Tintenfaß, wog es in der Hand und wollte damit werfen. Aber es machte ihm heute keinen Spaß mehr, er fühlte es selbst und legte das Tintenfaß mit schmerzlichem Gesicht wieder auf die Fensterbank. Ich holte aus der Manteltasche eine lederbezogene Glasflasche, in der mir Papa Wermut mit Gin gemixt hatte. Schweigend ließen wir sie umgehen und wischten uns mit dem Handrücken die Münder ab.

Studienrat Rilkow erschien, ließ flüchtig seine Augen über uns gehen und rief mich dann zu sich: »Wissen Sie, daß Sie in Erdkunde geprüft werden?«

Verdammt! »Was soll ich machen?«

»Ich wollte es Ihnen nur sagen.«

»Soll ich mit dem Erdkundelehrer vielleicht einmal reden?«

»Versuchen Sie es.«

»Glauben Sie, daß er das tut, um was ich ihn bitte?«

»Ganz im Gegenteil.«

»Im Gegenteil?« – Ach so! – »Ich danke Ihnen auch schön, Herr Studienrat.« – Er war schon wieder hinausgegangen, eilig und federnd.

Ich wartete einen Moment und folgte ihm dann zum Lehrerzimmer. Ob ich Studienrat Dr. Gneis sprechen könne?

Der Geographielehrer kam heraus.

»Herr Studienrat, ich hätte noch eine Bitte. –«

Dr. Gneis spielte rasselnd mit seinem Schlüsselbund und sah an mir vorbei.

»Ich möchte gern in Geographie geprüft werden. Als zweites Wahlfach.«

»Was versprechen Sie sich davon?«

»Ich möchte gern auf eine Zwei kommen. Würden Sie vielleicht so freundlich sein?«

»Kommt ja gar nicht in Frage!« Er ließ den Schlüsselbund in die Hand fallen und ging wieder hinein.

Als ich zurück in die Klasse kam, holten sie gerade den Heini Schmitz: Chemie.

In Chemie konnte der Schmitz jeden in die Tasche stecken, und er hatte das auch oft genug mit unserem Chemielehrer gemacht.

»Erzählen Sie uns mal, welche Maßnahmen zu ergreifen sind, um unsere Wohnstätten vor der Zerstörung durch den Feind zu bewahren?«

Auf Luftschutz war Heini nicht gefaßt. »Durch – Luftschutzmaßnahmen.«

Gut, weiter! – Heini meinte, man müsse Luftschutzkeller bauen.

Schön, weiter.

Den Speicher entrümpeln.

Und?

Und einen Kasten mit Sand hinstellen und eine Schaufel. Weil man Brandbomben nicht mit Wasser löschen darf.

»Falsch. Nach neueren Versuchen soll die Elektrotermitbombe mit Wasser bekämpft werden, dann zerplatzt sie, und die Bruchstücke können einzeln gelöscht werden.«

Hier unterbrach der Direktor den Chemielehrer und sagte, in seinem letzten Luftschutzkursus sei man davon wieder abgekommen, weil es doch besser sei, das Wasser wegzulassen.

Heini Schmitz wollte inzwischen die chemischen Vorgänge der brennenden Bombe erklären, aber die Herren stritten sich, ob Wasser ober ob Sand.

Heini Schmitz mischte sich ein: Beim Löschen mit Wasser entstehe aber explosives Knallgas.

»Sie sind hier nicht gefragt!«

Mehr konnte Heini Schmitz vom Abitur nicht verlangen.

Er kam zu uns zurück: »Van Tast und Klosterkamp sollen reinkommen.«

Wir ließen uns gegenseitig den Vortritt und klemmten uns dann zugleich in die nebenan liegende Untertertia; die Bänke waren hinten zusammengeschoben, nur für die Prüflinge war eine stehengeblieben. Und vorn, vor dem Katheder, waren Tische aufgebaut, daran saßen die Lehrer, und in ihrer Mitte ein älterer fremder Herr mit braunem Hemd unter dem zweireihigen Sakko.

Klosterkamp und ich wurden in die stehengebliebene Bank gesetzt, und wir durften uns zehn Minuten lang vorbereiten, der Klosterkamp für einen französischen Vortrag, und ich für Biologie: die Entwicklung des Menschen.

An dem Lehrertisch wurde gedämpft gesprochen, und unsere Lehrer beugten sich jedesmal weit über den Tisch, wenn sie zu dem Fremden sprachen. Ich bemerkte, wie sie zwischendurch auf die Uhren sahen, und dachte angestrengt über die Entwicklung des Menschen nach. Hatten wir zwar nicht gehabt, aber vielleicht fällt es mir wieder ein. Am Lehrertisch wurde noch immer gesprochen, und manchmal sahen sie zu mir herüber, und ich hörte Worte: Könnte mehr leisten – tanzt aus der Reihe – Elternhaus –.

Weiß der Himmel, wie sich der Mensch entwickelt hat!

Die zehn Minuten waren um.

»Die Entwicklung des Menschen: Wie sich der Mensch entwickelt hat, das weiß so ganz genau – eigentlich keiner. (Räuspern vom Lehrertisch.) Was ist überhaupt der Mensch? (Heftiges Räuspern.) Er unterscheidet sich vom Tier dadurch, daß er sich Werkzeuge herstellt. Der erste Mensch war da, als das erste Werkzeug da war, nicht wahr, der Faustkeil. Er vergrößerte die Wucht der Faust nach der Formel $m/2\ v^2$ und konzentrierte den Effekt auf eine kleine Spitze, so daß ein Druck entstand von einem Haufen Kilogramm pro Quadratmillimeter.« Nun fühlte ich mich schon wohler. Und sprach von der Axt als verlängertem Hebelarm, nicht wahr, von der Erfindung des Wagenrades – streng-germanisch – dem Schießpulver und der deutschen Luftwaffe, und was noch alles kommen wird. Denn an ihren Werkzeugen sollt ihr sie erkennen!

Stille. Unsicher verließ ich den Raum.

In der Warteklasse reichte mir Spatz die lederbezogene Flasche meines Vaters; sie war schon halb leer. Dann kam der Klosterkamp zurück, er schnitt eine Grimasse.

»Boom und van Tast!« – Schon wieder!

Wir mußten uns beide auf Musik vorbereiten. Boom kam zuerst dran, über den Gregorianischen Chor.

»Der Gregorianische Chor –«, begann Boom und drehte angestrengt an seinem Jackenknopf. Man ließ ihm Zeit. Boom gab sich alle Mühe nachzudenken, und dies beschäftigte ihn derart, daß er keine Zeit zum Nachdenken fand.

»Wissen Sie es oder wissen Sie nichts?«

Boom war es darum zu tun, möglichst bald wieder hinauszukommen: »Nichts.«

»Herr Kollege?« – Kollege Lerchenwald bekundete, den Stoff durchgenommen zu haben.

»Sie haben wohl nicht zugehört, Boom?«

»Doch. Aber ich habe nichts verstehen können.«

Fragende Blicke. – »Sind Sie schwerhörig?«

»Nein, – aber die Türen von der Aula sind so dick. Da kann man draußen überhaupt nichts hören. Und ich wurde doch immer rausgeschmissen.«

Peinliches Schweigen, denn Hinausschmeißen ist den Lehrern verboten.

»Was stellen Sie sich eigentlich unter Gesangsunterricht vor, Boom?«

»Singen«, antwortete Boom nicht ohne Logik.

Der Schulrat mischte sich ein: »Können Sie denn das wenigstens?«

Boom nickte, denn es verschlug ihm die Stimme.

»Dann singen Sie uns mal etwas vor.«

Erst schrumpfte der Boom zusammen. Selbst auf unseren Bierabenden durfte er nicht mitsingen, weil es so schrecklich klang. Und außerdem fiel ihm nichts ein. Aber dann reckte er sich auf die Fußspitzen, pumpte Luft in seine Brust, wandte sein Gesicht zum Himmel und bekam einen dicken Hals:

»You my cky
are lu star – –«

Weiter ließen sie ihn nicht kommen.

Der Schulrat holte ihn an den Tisch. Aus Booms Mund wehte ihm ein Hauch von Wermut und Gin entgegen. »Haben Sie getrunken?«

Sämtliche Stühle rückten. Die Prozession der Lehrer begab sich in die Warteklasse; ich hinterdrein und an meiner Seite tröstlich der Religionslehrer, wie auf dem Wege zum Schafott.

Den Alkohol hat also der van Tast mitgebracht? – Von seinem Vater. –

Gegen die Angst. –

Es stellte sich heraus, daß wir alle Angst gehabt hatten. Die Flasche wurde eingehend betrachtet: sehr viel Angst sogar. –

Soll man das Abitur abbrechen? –

»Die Schüler sind doch nur durch den Vater von Tast in Versuchung gebracht worden«, legte sich Studienrat Anton ins Mittel.

»Am Tage der Reifeprüfung sind die Schüler alt genug, um sich nicht mehr versuchen zu lassen.«

»Wenn die Schüler alt genug sind«, meinte Professor Glöckchen, Religion, »dann macht ihnen auch so'n bißchen Alkohol nichts aus.« Und wandelte hinaus über den Flur in die Prüfungsklasse hinein, und das übrige Kollegium trottete hinterher.

Die Musikprüfung wird fortgesetzt!

»Van Tast. Beschreiben Sie die Instrumente des Philharmonischen Orchesters.«

»Die Instrumente des Philharmonischen Orchesters sind Schallerzeuger. Die Klangfarbe hängt von der Art und Anzahl der Oberschwingungen ab, überlagerte Sinusschwingungen nach der Formel –«

»Was hat das nun wieder mit Musik zu tun?« fuhr Studienrat Lerchenwald auf.

»Sie können wohl nichts anderes als Physik?« rief der Direktor.

»Doch«, sagte ich etwas belegt.

»Dann prüfen wir den Burschen doch gleich in Physik«, schlug der Schulrat vor in dem braunen Hemd.

Physik des Fliegens. Ich fühlte mich in meinem Element. Göttinger Profile, Staudruck und Abreißwirbel, Grenzschicht und Gleitzahl Gamma.

»Was«, unterbrach mich der Schulrat, »was aber ist das Wesentliche zur Beherrschung der Luft?«

»Öh –. Ein Tragflächenprofil mit günstigem Verhältnis von c_a zu c_w.«

»Nein, mutige, einsatzbereite Männer, die um das Ziel wissen und sich unterordnen!«

Was hat das nun wieder mit Physik zu tun?

Dann holten sie keinen mehr. Das Abitur war überstanden, und sie berieten, und es war nichts mehr zu ändern.

Die anderen erzählten sich, was sie gefragt worden waren: Napoleon in Rußland. 1812. – Au wei, und ich habe 1811 gesagt. – Na ja, da war er auch schon so'n bißchen drin.

Ich zog Bilanz: Mit Ausnahme von Musik hatte ich eigentlich alles gewußt – wenigstens hatte keiner ›falsch‹ gesagt. Und selbst wenn ich es nicht gewußt hätte, so hatte ich doch in einigen anderen Fächern ›gut‹, das würde kompensieren.

Palm bohrte ein Loch in eine fremde Bank, obgleich er es nie brauchen würde. Und Spatz stand vorn und leierte verträumt am Kartenständer.

Studienrat Rilkow erschien und holte uns in die Prüfungsklasse.

Der Schulrat war schon fortgegangen. Der Herr Direktor nannte unsere Namen und händigte einem jeden von uns zwei glänzend weiße Papiere aus und drückte jedem die Hand.

Das eine der Blätter, im halben Format, bescheinigte sachlich, daß der Schüler am heutigen Tag die Reifeprüfung bestanden habe. Unterschrift und Siegel. Ich barg es in der Brusttasche, denn das brauchte ich zum Studieren. – Das andere, große Blatt aber war das Zeugnis. Von oben bis unten ›Genügend‹! Auch die Fächer, in denen ich sonst ›Gut‹ gehabt hatte. Selbst in Physik. Und natürlich Betragen; und zum Schluß eine häßliche Bemerkung. Die Bemerkung war ein gutes Recht der Schule. Aber daß sie sich an den Zensuren gerächt hatten –!

Ich fühlte die Blicke der Lehrer auf mich gerichtet, die einen mit Trauer, weil sie dachten: der hätte es anders haben können. Die anderen aber mit heimlichem Triumph: dem haben wir's endlich gezeigt!

Die Schule hatte das letzte Wort gehabt.

Ich faltete das Zeugnis zusammen, und andächtig zerriß ich es in viele kleine Schnipsel, bis es Konfetti war, legte es in die hohle Hand und pustete es zum geöffneten Fenster hinaus.

Die Schule war vorbei.

Dritter Klasse fünfunddreißig Pfennige, zweiter Klasse fünfzig. – »Ja was denn nun?« – Diese Fahrt macht man nur einmal im Leben. Über den Bahnsteig aus modernen Klinkern fuhr eine frische Frühlingsbö, ließ die Hosenbeine einiger Herren flattern, die erst vormittags in ihre Büros fuhren, drückte gegen die Mäntel und zupfte an den Hüten dünnbestrumpfter Damen, die vielleicht zur Schneiderin fuhren oder zum Zahnarzt. Auf den schimmernden Gleisen schoß es heran, aus Eisen und Glas, hielt pfeifend, ein Türgriff aus Messing, und dann gestreifte Polstersitze. Der ältere Herr mir gegenüber sah einen Augenblick über die Zeitung, und das Aschetürmchen fiel von der Zigarre. Und dann summte das Ganze wieder und schwankte ein wenig. Ich hatte meine Pfeife vergessen. Schwarze Kiefernreihen mit struppigen Köpfen flitzten vorbei, schilfige Gewässer, Villen, Tankstellen und zarte Birken. Wir waren umgezogen nach Berlin; nun räumten die Eltern noch immer die Wohnung ein. Ich holte aus der Brusttasche ein Formular: ›Beizubringen sind: Reifezeugnis, amtsärztliches Attest, zwei ausgefüllte Formulare TH 68, Personalausweis, ein ausgefülltes Formblatt TH 7/I, polizeiliches Führungszeugnis, Geburtsurkunde, Ariernachweis und Antrag auf Immatrikulation.‹ Die Fenster waren schlagartig dunkel, jäh bremste es, Türen wurden aufgerissen, Lautsprecher hallten: »Westkreuz Westkreuz beim Aus- und Einsteigen bitte beeilen Zug fährt nach Ostkreuz Ostkreuz beeilen bitte!«

Ffft-fup, die pneumatischen Türen hatten sich geschlossen, der Griff an der Decke baumelte wieder, zwischen meinen Knien stand eine Dame in Wildleder, draußen drängten sich Häuser heran und schwenkten wieder zurück, Schluchten mit Autos und Omnibussen. Die Dame sah mich unverwandt an. Ob die morgen auch wieder fährt? Morgen bin ich Student!

Und wirklich beschäftigte ich mich schon am nächsten Tag auf der Hochschule intensiv mit einer Erfindung der Neuzeit, die später einmal richtungweisend werden sollte: Schlange stehen. Je mehr Leute einem bei dieser Beschäftigung helfen, um so länger dauert sie.

Und es waren Hunderte. Deutsche Abiturienten in kurzen Hosen. Perser mit schreienden Krawatten. Undurchdringliche kleine Japaner, die nirgendwo hinblickten und alles sahen. Und lärmende Italiener, die sich alle Augenblicke in die schwarz geölten Locken gerieten. Ganz vereinzelt ernste Mädchen, die ihre Aktentasche auf die schief gestellten Hüften stützten, und sich nicht lohnten. Und auch eine elegante Inderin in langem Gewand und Ultra-Hornbrille unter hochgeschwungenen Brauen.

So stand ich, meist neben der Wand und manchmal neben einer Tür mit einer Nummer, hinter der – uns noch unsichtbar – im Halbkreis viele Bänke standen, wo wir hören würden, wie man mit Hirn und Logarithmentafel die Natur sich untertan macht.

Schlaftrunken schwemmte ich am nächsten Morgen, sechs Uhr früh, mit einem Meer von schweigenden Arbeitern durch ein Fabriktor mit grellen elektrischen Lampen. Trottete hinter aufgelösten Gruppen her, an rostigen Schrotthalden vorbei und an der Gießerei, aus der roter Feuerschein flackerte. Und an der Gußputzerei, in der dreihundert Preßluftmeißel zu dröhnen begannen, und vorbei an dem zugeknöpften Direktionsgebäude, dessen Fenster dezent leuchteten und dessen schwülstige Messinggeländer bis ins Freie reichten. Ich fragte mich weiter durch.

Dann stand ich am Schraubstock, im neuen blauen Arbeiteranzug, um mich herum emsiges ›Ping-ping‹ der vielen Hämmerchen in der Lehrlingswerkstatt. Bevor man ein Arbeiter der Stirn wird, so lautete die Bestimmung, muß man sechs Monate einer der Faust gewesen sein. Ich erhielt einen Handfeger, sechs Feilen, einen Hammer, einen Meißel und eine Unfallverhütungsvorschrift. Dann ein Stück Eisen, dessen gratige Kanten meine Hände verletzten, und aus dem ich einen blitzblanken Würfel feilen sollte, genau nach Maß, auf ein Zehntel Millimeter genau.

Und an allen Ecken war das Stück Eisen zwei Zentimeter zu groß!

Und so begann ich zu feilen, den linken Fuß vorgesetzt und den rechten nach hinten gestellt. Und feilte und feilte. Und manchmal blies ich ein wenig Eisenstaub weg, das klägliche Werk vieler Stunden. Der Tag verging, und es verging der nächste. Die Finger schmerzten und die Gelenke, der Rücken, der Bauch und die Beine. Aus den zwei Zentimetern war ein Zentimeter sechs Millimeter geworden. Und die Technik, die hatte ich mir anders vorgestellt!

Am dritten Tag bekam ich einen neuen Nachbarn. Er klemmte sein Stück Eisen in den Schraubstock, fuhr mit der Feile darüber, daß ein grauschimmernder Strahl von Eisenfeilstaub über den Werktisch spritzte. Die Feile zerbrach. Karle lachte und feuerte sie unter den Tisch und griff zur nächsten Feile und schruppte weiter und hatte in weniger als einer Stunde das harte Eisen zu Dünen von Staub zerfeilt. Aber das, was im Schraubstock übrigblieb, war ein kleines wenig Würfel und überhaupt rundum viel zu klein. Da lachte Karle wieder und ließ sich vom Meister ein neues Stück geben.

Während meine Feile weiterhin ohnmächtig über mein Eisenstück schlitterte, zerfraß Karles Feile das nächste Stück. Mein Stück blieb noch immer zu groß und Karles wurde wieder zu klein.

Da machte ich Karle den Vorschlag zur Kollektivarbeit: Er solle die Zentimeter wegfeilen und Millimeter, und die letzten Zehntel nach Maß, die Feinarbeit mit Winkel und Lehre, die wollte ich übernehmen. – »So is richtig«, lachte Karle und spannte das fünfte Stück ein.

Der erste Zentimeter ging in Staub auf! Karle pustete sich die Locke aus der Stirn. Noch sechs Millimeter, noch zwei. Nur noch ein bißchen.

Zu viel!

Karle spannte lachend das sechste Stück ein und gelobte Vorsicht. Ich blieb daneben. Noch drei Millimeter, noch einen. Aufgepaßt, Karle!

Zu spät!

So kamen wir nicht weiter!

Ein Blödsinn überhaupt, heutzutage noch mit der Hand zu arbeiten!

Das neunte Stück steckte ich in die Hosentasche und ging damit hinunter in eine der schwarzweißen Maschinenhallen.

Dort brummte es links und surrte es rechts. Und über einem schlackerten die Transmissionen, gigantische Gußstücke fuhren unwillig vor und zurück, Ströme von Seifenwasser schossen über rasend rotierende Werkstücke, und die Späne wurden zu tanzenden Spiralen, die sich aufbäumten und ermattet in eiserne Kästen fielen. Zusammengekniffene Augen sahen dort auf Skalen, Handräder wurden gedreht, und durch das Getriebe blökten wendige Elektrokarren, mit Eisen und Brauselimonade. Ich fand einen stillen Mann an einer Vertikalfräsmaschine. Ob er mir das Ding vielleicht - ich holte aus der Hosentasche das Eisen - zu einem Würfel fräsen könne. Und ich nannte die Maße. - »Da muß ick Karte zu haben«, sagte er und wies mit dem Kopf auf einen Glaskasten, in dem ein Mädchen mit schwarzem Kittel saß, zwischen ölbeschmierten Aktenregalen und Karteikästen. Sie fragte mich nach dem Auftrag.

»Von der Lehrlingswerkstatt«, erwiderte ich, und sie möchte bitte eine Karte ausschreiben für die Fräserei.

Unversehens war ein Meister eingetreten: »Wat, een Sticke bloß? Da is doch wat nich richtich.«

»Nein«, sagte ich schnell, »– vierundzwanzig!« und schniefte mit der Nase, um ein sicheres Auftreten zu zeigen.

Fehlten aber auch noch Arbeitsbegleitkarte, Werkstattzeichnung, Kalkulation.

»Schicke ich Ihnen noch rüber«, sagte ich so, als wenn ich es wirklich noch rüber schickte.

Bis zum Nachmittag hatte der Karle noch dreiundzwanzig weitere Stück Eisen aufgetrieben. Nun kamen sie in einen Holzkasten, und der Holzkasten rollte in die Fräserei.

Den Rest des Tages verbrachten wir befriedigt mit Scheinarbeit. - Dann war Sonntag.

Am Montag kamen die Würfel noch immer nicht.

Karle und ich scheinarbeiteten weiter. Karles Würfel bekam das prächtig. Denn weil Karle nur so tat, als wenn er etwas täte, feilte er jetzt maßgerecht. Und am Mittwoch machte ich jenes letzte Zehntel. Stolz betrachteten wir unser Werk.

»Fein«, rief ich und nahm es an mich.

»Wat?« sagte Karle, und diesmal lachte er nicht.

»Das gebe ich jetzt ab.«

»Wat?«

»Das ist doch fertig, Karle.«

»Wat?« und stand plötzlich dicht vor mir.

»Und dann machen wir noch ein zweites, und das gibst du ab.«

»Wat?« und kam noch dichter.
»Ja, wenn du meinst –?« Karle trat wieder etwas zurück. – »Ich meinte nur, Karle, die Vorarbeit hast du zwar geleistet, die körperliche, aber die eigentliche Aufgabe, nicht wahr, das nach Maß und so –«
»Wat?«
Ich wich zurück und stieß gegen einen Eisenpfeiler. »Wir können ja in Ruhe darüber reden, Karle – au!« Denn Karle hatte meine Jacke in die Faust genommen und nur ein wenig gedreht.
In diesem Augenblick rollte ein Transportarbeiter eine Holzkiste in die Werkstatt mit sechsundzwanzig blitzblank geschliffenen Würfeln, auf ein Zweihundertstel genau!
Da lachte der Karle wieder, und wir verstauten die Kiste schnell unter unseren Werktisch.
Es war höchste Zeit. Gegen Mittag kam unser Lehrlingsmeister und wollte wissen, was wir die ganze Zeit eigentlich gemacht hätten. Karle drückte ihm einen Würfel in die Hand. Der Meister maß ihn nach und grunzte und trug dem Karle eine Eins ein.
Ich sah es mit Neid. Und da gab ich dem Meister gleich zwei von den Würfeln, denn ich konnte es mir ja leisten.
In das feine Räderwerk der Fabrikorganisation aber war ein Sandkörnchen geraten. Büros telefonierten untereinander und fragten nach Karten, Werkstattzeichnung, Akkordsatz, Auftrag, Termin und Materialkarte. Hollerithmaschinen lochten und zählten und irgendwo war ein Loch zuviel und eine Zahl zuwenig. Herren in weißen Kitteln kamen durch die Lehrlingswerkstatt und sprachen mit unserem Meister.
Und dann erschien ein Boy in Livree mit Firmenaufschlägen: »Der Praktikant van Tast soll mal zum Herrn Direktor kommen.«
Dann kam Gott sei Dank wieder ein Sonntag. Unser Haus lag an einem See, und ich schob das Boot ins Wasser.
Wassersportler war ich schon auf dem Rhein gewesen. Zuerst in einem Ruderverein. Der Steuermann rief: »Einsatz das ganze Boot! Einsatz!« Und wir mußten im Takt an den Rudern ziehen, die man Riemen nennt, und fast immer gegen die Strömung. – Das war mir zu anstrengend gewesen.
Deshalb hatte mir Mama ein Faltboot gekauft. Nun rief keiner ›Einsatz das ganze Boot‹, ich war mein eigener Kapitän, aber da ich die einzige Antriebskraft war, trieb ich flußabwärts. Nach dem Prospekt der Faltbootfirma war das nicht weiter

schlimm: das Boot faltet man wieder zusammen und verpackt es in einen dicken runden und einen dünnen langen Sack. Und das hängt man sich über die Schulter, beziehungsweise einem jungen Mädchen, wie es auf der ersten Seite im Prospekt abgebildet war. Und die lächelt dann. Das Mädchen hatte ich mir übrigens auch mitgenommen. Aber sie stand in keinem Verhältnis zu der auf dem Prospekt. Sie lächelte zwar, aber die Säcke trug ich und dazu zwei Aktentaschen mit Badezeug, ein Netz mit Tellerchen und Thermosflasche und den leeren Gläsern des Kartoffelsalates und einen Sonnenschirm.

Aber nun war das anders. Auf den Seen trieb man nicht davon, sondern schwamm nur so weit, wie man paddelte und wollte. Und wenn man wollte, so hätte man von See zu See und Flüßchen zu Flüßchen und durch die ganze Mark Brandenburg paddeln können, bis in die Elbe oder zur Ostsee. Schnelle Enten mit putzigen Häubchen sahen mir neugierig entgegen, tauchten unter Wasser und kamen erst nach einer Minute ganz woanders wieder zum Vorschein. Und rundum wucherte meterhohes Schilf, dessen Halmspitzen im Wind zitterten. Es barg eine Welt für sich: Zwanzig Koffergrammophone plärrten zugleich Boohoo und Peter tu das noch einmal, Es war ein Mädchen in Chile und C'est l'amour. Denn hinter den Stengeln stak Boot neben Boot, aus denen sich geölte Mädchenbeine sonnten, und auf deren schmalem Waschbord Männer hockten mit grellen Halstüchern und schiefen Zigaretten und die nächste Platte auflegten.

Ich paddelte weiter, und jeder See war besetzt. Aber schließlich fand ich eine stille, einsame Bucht. Und weil ich auch einmal im Schilf sein wollte, stieß ich das Paddel ins Wasser, nahm mit dem Boot Anlauf und ließ es schlürfend in die Halme hineinschießen.

»Huu!« schrie ein Mädchen und zerrte aus ihrem Boot ein paar rote Strippen, die sich als die obere Hälfte ihres Badeanzuges entpuppten.

Beim Abendessen sagte Mama: »Ich weiß nicht, ich finde, das Paddeln strengt den Jungen an.«

Ich stopfte mir schnell eine ganze Kartoffel in den Mund und kaute auf beiden Backen.

»Aber die Luft tut ihm gut«, sagte Papa, »endlich hat er mal Hunger.«

»Oh ja, die Luft tut ihm gut«, sagte Mama. »Aber gibt es denn nichts, daß er sich weniger anstrengen muß?«

»Vielleicht ein kleines Segel?«

»Hilft das wirklich?«
»Doch, wenn der Wind von hinten kommt.«
»Wenn er das aber nicht tut, Männi?«
»Hm – dann braucht er einen Benzinmotor.«
»Einen Außenbordmotor.« Mir hüpfte das Herz.
»Aber so ein kleines Gummiboot, wenn es damit umkippt?«
Vati rollte seine Serviette zusammen: »Dann geht es unter.«
»O Gott – nein, dann soll er doch lieber paddeln.«
»Ich glaube aber, daß es mich furchtbar anstrengt«, sagte ich bescheiden.
»Hast du gehört, Männi?« – Männi, mein Vater, zuckte die Achseln. Das Mädchen räumte ab.
»Wenn mein Boot etwas größer wäre«, überlegte ich laut, »könnte es natürlich nicht umkippen.«
»Ist das wahr, Männi?«
»Und«, fuhr ich fort, »eines, das man oben vielleicht zumachen kann. Wenn es regnet.« Ich hustete.
Nach zwei Tagen brachte Mama aus der Stadt einen Prospekt mit. Und dann saßen wir zusammen, bis tief in die Nacht, und lasen uns gegenseitig daraus vor, und zeigten uns die bunten Bilder und konnten gar nicht verstehen, daß es überhaupt noch Leute gibt, die etwas anderes kaufen als ein Kleinstmotorboot:
es ist so leicht, daß der glückliche Familienvater es mit einer Hand aus dem Schuppen holt und ins Wasser schieben kann –
es ist so geräumig, daß er seine ganze Familie hineinpacken kann, samt der strahlenden Kinderchen, und, wie man im Prospekt sah, auch noch der erfreuten Großmutter –
der Motor entwickelt eine derartige Pferdekraft, daß er imstande ist, diese ganze Familie spielend zu bewältigen bis zu einem einsamen, noch unentdeckten Orte, und siehe, es war auch noch ein Zelt im Boot, ein Kofferradio, ein ausgewachsener Dackel und ein Kochapparat –
und das alles mit ein paar wenigen Tropfen Benzin. Und wir sahen es den Glücklichen auf den Bildern an, wie bequem die Ratenzahlungen sind.
»Und jetzt müssen wir nur noch einen Namen finden.«
»Erst sehe ich mir die Dinger einmal an«, sagte Papa, obgleich in den Prospekten doch alles ganz klar und deutlich war.
Am nächsten Sonntag setzten wir uns in eine Gartenrestauration am großen Wannsee. Nach zwei Stunden geduldigster Ausschau sichteten wir endlich ein Kleinstmotorboot. Es war genau unser Boot! Ja, sogar die Insassen hätten ein Teil aus dem Pro-

spekt sein können, nur, daß sie nicht lächelten, sondern im Boot knieten und mit grimmigen Gesichtern paddelten. Der Familienvater mit der Rücklehne seines Sitzes, seine Frau mit einem halben Kanupaddel, das Jüngste, ganz vorn, tapfer mit den kleinen Händchen.

Wollen die sparen? – Aber die paar Tröpfchen Benzin! – Vielleicht ist auch etwas kaputt? – Das kann nicht sein und es stand auch nichts dergleichen im Prospekt. Wir tranken weiter Berliner Weiße, die den Bauch überschwemmt und Durst macht.

Gegen Abend sahen wir das zweite Kleinstmotorboot. An Bord ein Mann, der unbekümmert die Sonne untergehen ließ und Zeitung las. Dann faltete er die Zeitung zusammen und wollte nach Hause. Zu diesem Zweck öffnete er hinter sich einen Deckel, wand eine Strippe um das verchromte Schwungrad des innen eingebauten Außenbordmotors und zog einmal kräftig daran. Ft-ft-ft-ft-ft! machte das Motörchen, und das Boot schaukelte ein wenig. Er wand die Schnur erneut darum und zog abermals. Ft-ft-ft-ft-ft. Und dann wieder. Ff-ft-ft-ft-ft. Die Restauration wurde langsam leer. Wir blieben und sahen weiter zu. Ft-ft-ft-ft. Und da mit jedem Drehen des Schwungrades sich auch der Propeller unter Wasser ein wenig mitdrehte, bewegte sich das Boot unmerklich langsam, aber immerhin voran. Als es außer Sicht geriet – ft-ft-ft-ft-ft – meinte Vater, er zweifele nicht daran, daß dieser Mann auf diese Weise auch einmal nach Hause käme. Aber Mutti fand das noch zu anstrengend für mich.

Am nächsten Sonntag gingen wir gleich nach dem Mittagessen zu einem Bootsliegeplatz. Dort lagen zwischen den Stegen vertäut weißglänzende Autoboote mit Lenkrad, Hebelchen, eingebauten Uhren und elektrischen Lichtern. Die brauchte man bestimmt nicht zu paddeln, man sah es ihren Namen an: Poseidon, Pfeil und Sturmvogel. Und bei ihnen brauchte man keine Strippe um ein blechernes Schwungrad schwingen, und sie würden nicht das lächerliche ft-ft machen, denn unter den Mahagonidecks lagen gußeiserne Motoren mit vier und mehr Zylindern, und man brauchte nur auf den Knopf zu drücken. Wir setzten uns um einen Gartentisch und warteten, daß jemand käme, der auf den Knopf drückt. Und bald wanderte über den Platz eine Berliner Familie, der Vater ergrauter, reifer und sicher auch zuverlässiger als der im Prospekt der Kleinstmotorboote. Zudem trug er eine weiße Kapitänsmütze mit goldenem Anker, auch die Kinder waren schon größer und trugen Matrosenanzüge; Ehefrau und Tanten hatten ein Gewicht, das jedes Kleinstmotorboot widerlegte.

Nun kletterten sie in den ›Poseidon‹ und setzten sich auf die Bänke, alle Gesichter nach vorn, und sahen an den anderen Menschen vorbei. Der ergraute Vater drückte mit dem Daumen auf den Knopf: Jujujujujujuju ...

Jujujuju–ju – juu – juu –. Er klappte das Mahagonideck auseinander, und dann roch es ein wenig nach Benzin. Seine Familie kramte in Einkaufstaschen und Netzen, wir hörten das Klappern von Geschirr. Die Kapitänsmütze rückte zum Nacken; nun drehte er an einer Kurbel, und auf der Stirn bildeten sich Tropfen. – Die Familie hatte den Kuchen gefunden und auch den Zucker. Es wurde gemütlich. Die weiße Mütze tauchte unter Deck, ich vernahm das Klappern von Schraubenschlüsseln, dann zaghafte Hammerschläge. – Die Familie futterte auf allen Backen und nahm ungebührend wenig Anteil an dem, was sich vorn abspielte. Die weiße Mütze erschien wieder, mit grauen Tupfen, und ihr folgte ein Gesicht mit dunklen Streifen und eine behaarte, keuchende Brust.

So verging der Sonntagnachmittag. Gegen Abend wurden die Teller wieder in die Netze geräumt, die Familie marschierte sonnengebräunt über den Bootsplatz davon, und es folgte ein altersgebeugter Mann in schwarzer Mütze mit goldenem Anker.

Ein Autoboot, meinte Mama, sei auch zu anstrengend für mich.

Es wurde auch nicht weiter davon gesprochen. – Den Sonntag darauf war ich allein zu Hause und stand am Ufer. Ob das Mädchen mit den roten Strippen wieder in der Bucht liegt? Oder ohne rote Strippen? In unseren kleinen See bog rauschend ein Motorboot mit Kajüte, vier Fenstern auf jeder Seite und Klo und Wimpeln hinten und vorn. Das nennt sich nun Wassersport! Das Boot hupte anhaltend. Angeber, die wollen, daß auch jeder sie sieht! Und nun hielten sie auf mich zu.

Es waren die Eltern.

Ich watete ihnen entgegen, kletterte über Bord und fiel ihnen dankbar um den Hals. »Mach das Boot nicht schmutzig!« rief Mutti, und ich mußte mir die Füße abtrocknen.

Aber es war gar nicht mein Boot, sondern ›unser‹ Boot! Und steuern tat Vater. Und Mutter lederte unentwegt und polierte alles blitzblank. Und wenn ich fahren wollte, mußte ich fragen. Und mir vorher die Hände waschen. Weil es so viel gekostet habe.

Erst nach Wochen, als etwas kaputt ging, war es ›mein‹ Boot. Bis es wieder repariert war. Nach drei Monaten wurde es mir zu dumm, ich trank eine Flasche Steinhäger und legte Protest ein. Vater war sehr freundlich, anerkannte meinen Protest, und ich bekam endgültig das Boot.

Und mit dem Boot auch die Rechnungen. Ich sammelte sie in einem Soennecken-Ordner.

Als Weihnachten kam, kaufte ich meinen Eltern nichts, sondern schenkte ihnen mein Boot. Und den Soennecken-Ordner, natürlich.

Inzwischen hatte mein Studium begonnen. Ich geriet in eine junge Menschenmenge, die sich eine Treppe hinaufdrängte und immer dichter wurde, ließ einen Jackenknopf an der Flügeltür und befand mich schließlich in der drittobersten Reihe fast unter der Kuppel mit diffuser Mattglasbeleuchtung, und sah erwartungsvoll hinab auf das entfernte Podium. In einem Halbdunkel blitzten komplizierte Apparaturen. Ich kontrollierte meinen Drehbleistift und legte ein frisches Kollegheft zurecht. Es klingelte. Die Kuppelbeleuchtung verdunkelte sich bis auf einen rötlichen Rest; das Podium erstrahlte im Scheinwerferlicht. Der Professor trat auf, gefolgt von zwei Assistenten, die sich hilfsbereit im Hintergrund aufstellten. Ich hatte oftmals von ihm gelesen, wenn er etwas Neues entdeckt hatte oder eine neue Formel erfunden, weil die alten Formeln irgendwo wieder mit der Natur nicht übereinstimmten. Welches neue Geheimnis würde er heute preisgeben?

An einem Draht hatte er ein Kügelchen aufhängen lassen. Er beschrieb es. Es hing unbeweglich, und es war ein Spiegel daran. Und auf diesen Spiegel waren Instrumente mit Linsen und Doppelkondensatoren gerichtet, bereit für das große Ereignis. Auch sie wurden beschrieben. Und wir schrieben mit.

Nun traten die Assistenten in Tätigkeit. Dirigiert von dem zusammengerollten Manuskript in der Hand des Professors, rückten sie einen Glaskasten um das hängende Kügelchen, damit kein Windhauch es berühre. Dann schoben sie ihre Manschetten hoch. Die Lichter erloschen. Der Projektor zielte mit einem haarscharfen Lichtstrahl auf den Spiegel des Kügelchens. Die Assistenten ächzten »Hau!« und rollten auf zwei Gleisen eine viele Zentner schwere Bleikugel an das Kügelchen. Auf einer Filmleinwand leuchtete eine Skala, und darauf bewegte sich ein

Lichtzeiger mit zweimillionenfacher Übersetzung drei Striche weiter. Das Kügelchen hatte sich auf die große Bleikugel zubewegt.

Die Deckenbeleuchtung blendete auf. Der Professor stand wieder auf dem Podium: Körper ziehen sich an! – Und nun folgerte der Professor daraus: Wenn wir einen Gegenstand in die Hand nehmen (Bleistifte flogen über Papier: Wenn wir einen Gegenstand in die Hand nehmen) und diesen loslassen (und diesen loslassen), so fällt er auf die Erde!

Was zu beweisen war.

Wir drängten wieder durch die Türen, um eine physikalische Erkenntnis reicher.

In der Pause konnte man eine Tasse Tee trinken zu ermäßigten Preisen. Dann kam ich in einen Hörsaal älterer Art, ohne Scheinwerfer, sondern mit hohen Fenstern. Vorn schwarze Tafeln und eine lange Theke, auf der Kreide lag. Der Professor für allgemeinen Maschinenbau hielt eine Vorlesung über Schrauben. Meist lernt man sie erst kennen, wenn sie rostig sind und verbogen. Dann wirft man sie in die Gegend und sieht es ihnen nicht an, welch wissenschaftlichen Forderungen sie standzuhalten hatten.

Das Gewinde ist als abgewinkelter Keil zu berechnen, dessen Grundlinie gleich ist dem Schraubenumfang. Wenn α kleiner als ρ, tritt Selbsthemmung ein. –

Sie hatte große Augen und schmale braune Hände.

– Die Selbsthemmung wird verstärkt durch die Schräge des Gewindeprofils, in der Regel sechzig Grad. –

»Hallo, wie komme ich nach Potsdam?« – Die schwarzen Locken waren auf ihre Schultern gefallen: »Indem Sie weiterfahren!« Dann hatte ein wohlmeinender Wind ihr kleines Boot langsam zu mir getrieben. Als wir landeten, und es schon Nacht war, wußte ich, daß sie Ursula hieß.

–während das Gefüge eines gewalzten Gewindes höhere Festigkeit aufweist –

Und ich wußte nicht, wo sie wohnte. Nicht einmal ihre Telefonnummer hatte ich mir aufgeschrieben!

Als ich heimkam, war mein Zimmer in blauen Dunst gehüllt, und auf meinem Schreibtisch saß, die verblichene Bootsmütze auf dem Kopf, der Mann, der die Bootsstände vermietet. Ich blieb erschrocken in der Tür stehen: »Ist meinem Boot etwas passiert?« »Nee, det jerade nich.« Und dann begann er unerwartet ein fachmännisches Gespräch über Bootsstege, Winterlager,

Kupferanstrich und über seine Slipanlage. Ich hörte zu und freute mich, daß er mich für voll nahm, obgleich ich doch nur sonntags fahre.

»Wie war't denn jestern abend mit die Kleene?«

Ich war nicht darauf gefaßt und hätte lieber weiter von Bootswinden gesprochen.

Er sah mich vieldeutig an: »Die Meechen mit die schwarzen Haare haben't in sich« und er wolle sich jetzt einen elektrischen Motor kaufen für seine Slipanlage. –

Ich war froh über die Änderung des Themas: »Eine gute Idee!«

Natürlich koste so ein Motor eine Stange Geld. – Natürlich!

»So'n Motor, wenn er wat taugen soll, der kostet glatt an die zweehundert March.« – »Ja, soviel muß man schon anlegen.«

»Nu is aber so, die zweehundert March ha'ck nich.«

»Schade, und was wollen Sie nun machen?«

»Ja, wat machen wa denn da.« Er kratzte sich hinter dem Ohr: »Sie wissen wohl ooch keenen, der mir det Jeld borgen kann?«

Nein, ich wußte keinen.

»Ich dachte vielleicht, dat Sie det Jeschäft mit mir machen wollen.«

»Ich habe aber keine zweihundert Mark!«

»Det is schlimm for Sie! – Und – wat ick noch sahren wollte«, – er rückte näher an mich heran: »Haben Sie sich die Kleene von jestern ooch janz jenau anjesehen? Vielleicht is Sie det noch nich uffjefallen bei Nacht und Dunkel, aber det Meechen (det bleibt natürlich unta uns), die is Jüdin!« Er ließ mit Genugtuung seine Worte auf mich wirken.

»Nu kriejen Sie man nich jleich en roten Kopp! Als ick so jung war wie Sie, ha'ck sojar mit eene Chinesin jehabt. Aber da war't noch nich vaboten!«

Ich schwieg. Die Eltern waren verreist.

Er steckte sich wieder die stinkende Pfeife an: »Sie können ja nich dafür, det die Kleene nich arisch is, aber meine Schuld is ooch nich. Det sind die Nazis mit ihre Jesetze. Und mit die Pflichten, die man nu so als Volksjenosse hat!« Und er seufzte. »Wenn ick nur jemand wüßte, wo mir die zweehundert Emm borgen würde!« Er warf das Streichholz in den Papierkorb und sah mich herausfordernd an.

Ich zuckte die Schultern: »Ich habe keine zweihundert Mark!«

»Wenn Se mir en bisken unter die Arme jreifen, helf ick Sie ooch. Denn sorg ick dafür, det keener wat erfährt von Ihre Jüdin.«

Wie er das anfangen wolle.

Er grinste wieder: »Janz einfach, dann bleib ick vaschwiejen. Wenngleich ick mir damit strafbar mache, Herr!«

Ich dachte an die kleine Ursula, die in Gefahr war, und auch an mich. Ich dachte an mein Studium, an meine Eltern. Vielleicht auch ein wenig an KZ.

Bebend vor Wut kratzte ich aus meiner Brieftasche zweihundert Mark zusammen und hörte dafür noch Lobenswertes über meine Intelligenz, mein tüchtiges Boot und über Ursulas Schönheit.

Am nächsten Sonntag schien wieder die Sonne. Und auf der Mitte des Sees trieb wartend ihr Paddelboot. Ich ließ den Motor an, zog die Taue ein und winkte hinüber. In diesem Augenblick erschien auf einem der Landungsstege der Bootsmann.

Eigentlich kann mir der Kerl nichts wollen, er hat ja die zweihundert Mark. Aber wenn er es trotzdem tut? – Ich fuhr dicht an Ursula vorbei, stoppte nicht ab, sondern winkte ihr heimlich, machte ihr Zeichen und nahm Kurs auf den Kanal.

Im nächsten See warf ich Anker und wartete. Aber sie hatte mich nicht verstanden.

Ich wartete weiter, zwei lange Stunden. Dann fuhr ich zurück.

Am nächsten Nachmittag saß auf meinem Schreibtisch wieder der Mann. Ich würdigte ihn keines Blickes und packte schweigend meine Bücher aus.

»Det konnt ich ja nu nich wissen, det ick dazu ooch noch eene Seiltrommel brauche.«

»Dann lassen Sie Ihre Seiltrommel weg!« fuhr ich ihn an, »und nehmen die alte ohne Motor. Zehn Jahre lang haben Sie die Boote mit der Hand hochgeleiert, und das ging auch ganz gut!«

»Ick werd aber alt«, sagte er traurig.

»Das ist Ihre Sache! – Wiedersehen!«

Er blieb sitzen: »Nee, det is unsare Sache. Sie sind jung und kutschieren mit die schönen Meechens in die Binsen, und ick muß die Arbeit tun. Und soll noch stille sein, wenn Sie mein jesundet Volksempfinden valetzen.«

»Ich habe die Dame nicht wiedergesehen.«

»Weeß ick, weeß ick, ham im Stölpchensee auf sie jewartet. Aber die Kleene is vaduftet, und jeflennt hat se ooch, weil Se ihr treulos verlassen haben. Aber ick denke an det erste Mal, wo Se mit ihr in de Kajüte jewesen sind, von Zehne bis Mitternacht, und Licht war ooch nich! – Mir wär't ejal, aber auf hundert

Mark mehr oder weniger kann't Sie doch nich ankommen, bei ne Sache, die jejen die Nürnberger Jesetze jeht!«

Ich schloß die Tür wieder: »Ich verstehe Sie ganz richtig. Sie haben mich in der Hand und werden alle acht oder vierzehn Tage wiederkommen und Geld von mir verlangen.«

»Seh ick so aus, Herr?« Er schlug sich beteuernd auf die Brust: »Nee, Herr, is heut det letzte Mal, auf Ehre!«

Ich griff nach meiner Brieftasche, schob sie wieder zurück, hatte plötzlich Bedenken.

»Das letzte Mal?« fragte ich.

»Letzte Jelejenheit!«

Ich tat, als dächte ich nach; dann riß ich ein leeres Blatt aus dem Physikheft: »Wer weiß, ob Sie nicht doch eines Tages wiederkommen und wieder hundert Mark verlangen.«

»Sie tun ma weh, Herr!« meinte er beleidigt.

»Geben Sie es mir schriftlich«, fuhr ich fort, »und dann gebe ich Ihnen gern noch hundert Mark, meinetwegen auch hundertzwanzig.«

»So ville ha'ck ma ja nich jetraut!« Er strahlte über sein ganzes unrasiertes Gesicht: »Dann sahren wa also rund hundertfuffzich.«

Ich hatte mich hingesetzt und schrieb:

> ›Bestätige dankend den Empfang einer zweiten Rate von 150,– RM und versichere dafür, daß ich wegen des Zusammenseins mit einer Jüdin keine Anzeige erstatten und auch keine weiteren Geldforderungen mehr stellen werde.‹

Ich schob ihm den Zettel hin und zählte die hundertfünfzig Mark ab. Er unterschrieb mit einem Blaustiftstummel, den er aus der Hosentasche holte, und wollte nach dem Geld greifen.

»Moment!« sagte ich und steckte das Geld wieder in die Tasche, und den Zettel dazu, und sagte: »Lieber Herr, die hundertfünfzig Mark bekommen Sie natürlich nicht. –«

»Janz wie Se wollen!« unterbrach er drohend und ließ sich langsam vom Schreibtisch gleiten.

»Langsam! Ich habe von Ihnen eine eigenhändig unterschriebene Erpressung in der Hand, und diese werde ich der Staatsanwaltschaft überreichen. Und nun – viel Vergnügen im Zuchthaus. Sie Schwein!«

Der alte Mann zuckte zusammen: »So deutlich müssen Se nich jleich werden als feiner Mann. – Aber denn will ick Ihnen een anderet Jeschäft vorschlahren: Sie lassen det mit de Staatsanwaltschaft, und ick weeß nischt von Ihre Jüdin.«

Nun war ich es, der sich eine Pfeife ansteckte, in aller Ruhe und mit innerer Genugtuung. Und erst nach einer ganzen Weile sagte ich: »Meinetwegen!«

Nun galt es, Ursula wiederzufinden. Die letzten vier Tage der Woche machten sich breit, und die Stunden schienen zu kleben. Wir lernten ungleichförmige Träger berechnen auf zwei und mehr Stützen, und $\int \operatorname{arctg} x\,dx = x \operatorname{arctg} x - \frac{1}{2} \ln (1 + x^2) + c$.

Dann ließ ich mein Boot mit Vollgas durch die Seen rauschen, und mit halber Fahrt dicht an den Ufern entlang, und ich spähte ins Schilf. Sah unzählige Mädchen, braune, schwarze und blonde.

Aber Ursula fand ich nicht wieder.

Professoren schreiben Bücher. Was sie geschrieben hatten, lasen sie uns vor und malten es an die Tafel. Und was sie vorlasen, schrieben wir mit der Hand in unsere Kolleghefte ein.

Und was wir eingeschrieben hatten, konnte man ebensogut des Abends wieder in ihren Büchern lesen.

Während vorn ein Kahlkopf mit grauem Kranz, Professor der Wärmelehre, über den gedachten idealschwarzen Raum las, schrieb ich eine lange Stauraumliste für meine Bootsfahrt in den kommenden Semesterferien:

6 Reservepfeifen
1 verstellbarer Schraubenschlüssel
1 Blockflöte
1 Schwamm (mit dem man tagsüber sicher auch das Geschirr abwaschen kann)
1 Regenschirm (weil das Klo als Speisekammer eingerichtet werden sollte)
1 Eimer für alles.

Da flüsterte plötzlich einer, der neben mir saß: »Und wo bleibt der Korkenzieher?«

Das gefiel mir; ich drückte ihm die Hand, und wir verließen leise die Vorlesung und begaben uns mit der Liste in die Kaffeestube:

1 Hammer
20 Heftpflaster
1 Mädchen? – Zum Knöpfe annähen, entschuldigte sie Horst.
Oder 2?

Aber wir wollten uns doch erholen!

Wir strichen die Mädchen wieder durch und ersetzten sie durch:

1 Tube Alleskleber.

Ob er vielleicht sogar kochen könne, fragte ich Horst.

Was ich denn gerne äße? –

Am liebsten Rumpsteak mit grünen Bohnen! –

Den nächsten Morgen wartete Horst auf mich vor dem Hörsaal für Chemie und konnte kochen.

Und vier Wochen danach löste sich das weiße ›Adagio‹ stolz und brummend vom Steg. Unsere vier Eltern winkten am Ufer und riefen, wir sollten uns gut erholen! und nicht so viel rauchen! und keine Dummheiten machen! und gut essen! – Der Bug drehte sich zum See und nahm Fahrt auf durch das hellschimmernde Wasser. Wir hätten gern etwas gesungen, aber Horst konnte nur ›Hell die Gläser klingen‹, und ich konnte nur ›Und der Haifisch, der hat Zähne‹. So einigten wir uns darauf, zu hupen und immer Ahoi! zu rufen.

Am Abend warfen wir zum ersten Mal Anker, lehnten uns an die Reling und hielten selbstbewußt Umschau. Aber es war keiner da, der uns bewundern konnte. Horst hatte einen Petroleumkocher mitgebracht, nagelneu aus dem Geschäft; wir reparierten ihn, dann stank er ein bißchen, Horst betätigte die kleine Messingpumpe, und ich saß mit dem Feuerlöscher in der Nähe. Es gab Rumpsteak mit grünen Bohnen.

Des Nachts hörte man das Schlagen der kleinen Wellen an den Rumpf des Bootes. Das Steuer seufzte ein wenig, und wir fanden das so schön, daß wir kein Auge zutaten und ganz aufgeregt von der Romantik wurden. Und dann dämmerte es, auf dem Wasser kreisten Spiralnebel. Nun war der langersehnte Augenblick gekommen, da wir uns in die frühmorgendlichen Fluten stürzen wollten. Wir zogen uns fröstelnd in die Kajüte zurück, tranken lieber einen Kognak und danach heißen Kakao.

Wir brummten weiter havelabwärts. An stillen ziegelroten Dörfern vorbei und mitten durch eine kleine Stadt. Wir legten in einer Straße an, stiegen ein wenig aus und gaben drei kleinen Jungen bereitwillig Auskunft über die Länge des Bootes, die Pferdestärke des Motors, und wieviel Leute hineingehen würden, wenn man sie ganz eng zusammendrückt. Wir sahen mitleidig auf all die vielen Menschen, die zu Fuß über trockenes Pflaster liefen, und mittags oder abends nach Hause mußten und vielleicht sogar Treppen steigen. Wir hingegen hatten unser Zuhause bei uns, mit Kochtopf und Radio, Klo und Gardinchen, Pantoffeln und Zahnstochern. Und dann schwammen wir zwei Tage später auf der Elbe – es gab Rumpsteak mit grünen Bohnen

– begegneten langen Reihen von Schleppkähnen, grüßten die stummen Männer am Steuerrad, und die kleinen Hunde kläfften zurück. Und das war in Wirklichkeit viel sportlicher, als es aussah. Weil wir ein Getriebe hatten.

Dies ist der Teil hinter dem Motor, mit dem man vorwärts oder rückwärts fährt. Nach fünf Tagen – es hatte gerade Rumpsteak mit grünen Bohnen gegeben – ging der Vorwärtsgang nicht mehr. Wir wollten aber vorwärts. Und nun hätte uns ein Sportler einmal zusehen sollen, wie wir in den Rumpf des Bootes krochen, dicke und dünne Schrauben lösten und rauhe Rohrverbindungen, mit dem Bein des Photostativs nach heruntergefallenen Schraubenschlüsseln fischten, während die Fliegen uns über den Nacken krabbelten, und wir es ihnen erlauben mußten, weil unsere Finger irgendwo unten eingequetscht waren. Nun ging der Vorwärtsgang, aber der Rückwärtsgang nicht mehr. So montierten wir alle zwei Tage das schwere Getriebe wieder aus und nahmen es auseinander und guckten hinein. Und innen war alles so schön und wollte doch nicht funktionieren, obgleich wir schon im dritten Semester Maschinenbau studierten. Nach der fünften Montage saßen wir trübselig daneben, die Wunden unserer Hände mit Isolierband geflickt, und dachten häßliche Worte. Eine Flasche Kümmel machte mit.

»Vielleicht«, meinte Horst, »ist Schmutz darin«, und schüttete Imi in das Getriebe. Es begann zu schäumen. »Vielleicht«, sagte ich, als wir die zweite Flasche anbrachen, »muß man es im guten versuchen«, und gab dem Getriebe etwas von unserem Kümmel. Da streikte auch der Vorwärtsgang. – »Du hast es besoffen gemacht!« rief Horst und goß schnell Kaffee hinterher.

»Vielleicht ist das ganze Getriebe – –!« Ich sprach das böse Wort aus.

»Das ist es!« rief Horst und schmiß im Zorn den Korkenzieher hinein. – Teläng, teläng! machte das Getriebe und machte es den Rest der Reise. Denn der Korkenzieher blieb unten, und er war klüger als wir und hatte die richtige Stelle gefunden, klemmte sich zwischen die Konusse, und nun ging das Getriebe rückwärts wie vorwärts.

Wir wandten uns wieder der Landschaft zu und entdeckten seitlich der Elbe die Elde. Kein Druckfehler, sondern ein kleiner Nebenfluß, den wir in Geographie nicht gehabt hatten, mit Seerosen und niedrigen Ufern und Bäumen auf jeder Seite, nach deren Zweigen wir greifen konnten. Wir hielten es für eine Art von Paradies. Bis zur ersten Schleuse.

Wir warteten geduldig auf den Schleusenmeister und legten unsere Bootspapiere zurecht. Dann hupten wir auch ein wenig und holten die kleinen Gläschen heraus und die große Flasche. Und photographierten die Schleuse mit dem einsamen Häuschen. Und uns. Schließlich stieg ich an Land. Ein leiser Wind strich durch die Birken. »He!« rief ich. Ein Fisch plitschte aus dem Wasser. Vielleicht wollte er auch endlich geschleust werden, so ein armer Fisch, wer weiß, wie lange er schon in der Schleuse war! In der Ferne sah ich die Dächer eines Dorfes, die in der warmen Luft zu zittern schienen. Ich wanderte darauf zu.

Es war schön, endlich wieder einmal weit ausschreiten zu können, ohne an einen Petroleumkocher zu stoßen oder gegen den Klapptisch zu rennen. Ich pflückte ein paar Blumen, und eigentlich müßte man auch einen Schmetterling fangen. Aber was sollten wir mit einem Tier an Bord. Und dann wußte ich nicht, wohin mit den Blumen, und sie wurden ganz warm und weich in der Hand. – Im Dorf begrüßte mich eine mißtrauische Katze. Ich klopfte an Haustüren, die stumm blieben, und sah durch die Fenster in menschenleere, aufgeräumte Stuben und fand schließlich einen alten Mann, der einen noch älteren Strumpf reparierte.

Der Schleusenmeister. Tja, der sei auf dem Feld.

Ich ließ mir das Feld erklären, und der alte Mann hatte auch nichts dagegen, daß ich mir das Fahrrad vom gegenüberliegenden Haus lieh, denn es gehörte ihm nicht.

Der Schleusenmeister saß hoch auf dem federnden Sitz einer Mähmaschine, von zwei Gäulen gezogen. Ich lief nebenher, die Mähmaschine ratterte und klirrte, und ich mußte alles dreimal fragen. Dreimal schreien: Was? – Wie bitte. – Was sagten Sie?

Ich solle die Schleuse selbst bedienen.

Ich brachte das Fahrrad zurück und wanderte wieder den Weg. Die Blumen hatte ich in die Hosentasche gesteckt. Dort piekten sie mir in das rechte Bein. Aber das waren gar nicht die Blumen, sondern ein vergessener Schraubenzieher, der sich langsam durch das Futter arbeitete. Und der Weg dehnte sich in die Länge.

Horst saß noch immer an den beiden Gläschen und hatte mich bei ihnen so lange vertreten.

Dann drehten wir quietschende Kurbeln und stemmten knarrende Balken, zerrten an Steckbolzen und zwängten das ›Adagio‹ durch die Schleuse. Glitten auf moosigen Planken aus und wischten uns den Schweiß von der Stirn.

Und als wir das alles hinter uns hatten, nahmen wir den Glauben an das Paradies wieder auf. Und dann rief Horst: »Schleuse ahoi!«

Vor Schreck brachen wir eine neue Flasche an.

Schleuse ahoi! rief Horst auch die nächsten Tage, und ich weiß nicht, wie oft insgesamt. Und vielleicht wären wir wieder zurückgefahren, aber wir glaubten immer, es sei die letzte.

Schleuse ahoi!

Und ein Paradies war es dennoch.

Unter den Mücken hatte es sich herumgesprochen, daß wir da waren. Abends, wenn wir unser Boot tief ins schützende Schilf hineingefahren hatten, kamen sie alle an Bord, tanzten erfreut um die bunten Positionslichter und besuchten uns dann in der Kajüte. Ich rieb Gesicht und Körper dick mit ›Antimuck‹ ein, und nach menschlichen Begriffen roch ich unmenschlich. Den Mücken aber war ich ganz nach ihrem Geschmack. Nur Horst war zufrieden mit ›Antimuck‹, denn er schmierte sich nicht damit ein, und ihn ließen sie deshalb in Ruhe. – Nach Rumpsteak und grünen Bohnen las ich noch einmal die Gebrauchsanweisung: Zum Einreiben. – Wen einreiben?

Vielleicht die Mücken? meinte Horst. – Wir machten einen Versuch, und die betroffene Mücke verhielt sich danach ganz still. Da fingen wir auch die anderen Mücken und drückten sie mit dem Daumen in die Tube. Und in der Tube verschieden sie nach wenigen Tagen. Vermutlich an Völlerei.

Mittags gab es Rumpsteak mit grünen Bohnen. »Ich finde es sehr aufmerksam von dir«, wandte ich mich an Horst, »daß du immer mein Lieblingsgericht kochst. Aber – ich weiß nicht – ob du nicht auch etwas kochen könntest, was vielleicht mehr nach deinem Geschmack ist.«

»Och«, Horst zuckte die Schultern, und er habe sich inzwischen so daran gewöhnt, daß er es wirklich gern äße. – Es hatte keinen Zweck, weiter darüber zu reden, denn in der Bilge des Bootes rappelten noch zweiunddreißig Büchsen mit grünen Bohnen. Und etwas anderes hatte Horst sich von seiner Schwester auch nicht zeigen lassen.

Viel wichtiger schien inzwischen die Frage des Abwaschens. Das Geschirr war zu Ende. Ich meine: der Eimer war voll. Wir stellten den Motor ab, ließen das ›Adagio‹ in eine stille Bucht gleiten und warfen Anker. Dann hoben wir den Eimer zwischen uns auf den Klapptisch, tauchten das Geschirr in die kühlen Fluten und wuschen mit dem Schwamm nach. Bald mußten wir unterbrechen und mit dem Schraubenzieher die Soßenreste und die Bohnen aus den Poren des Schwammes bohren. Und gaben es bald auf.

Am nächsten Morgen wanderten wir über Land in ein verschlafenes Postamt, meldeten Berlin an, und Horst lud seine Schwester zum kommenden Sonntag an Bord ein. Und wollte auch die Bahnfahrt bezahlen. Und zweiter Klasse! rief ich in den Hörer. Da schöpfte die Schwester Verdacht und wollte nicht. – Gegenüber kauften wir einen Quadratmeter Fliegengitter, gingen wieder an Bord und banden das Gitter über den Eimer, knoteten ihn an einen Strick hinter das Boot und gaben Vollgas. Die Idee war von Horst; es rumorte im Eimer, und dem Scheuern und Stoßen konnte kein Soßenrest widerstehen. Wir zogen den Eimer an Bord, und alles war blitzblank! Die Idee muß aber doch von mir gewesen sein, denn den Rest des Tages verbrachten wir damit, die passenden Stücke wieder zusammenzusuchen. Und Horst klebte sie mit Alleskitt. Dabei unterliefen ihm einige Fehler, oder lag es am Kümmel? Denn das Geschirr bekam neuartige Formen: die Untertassen zarte Henkel, und die Tassen keine, und aus der Mitte eines Tellers wuchs plötzlich das Knöpfchen vom Kaffeekannendeckel. – Beim nächsten Abwasch würde sich aber die Sache von selbst wieder bereinigen.

Es regnete. Wir ankerten in einem weiten See. Wir aßen Rumpsteak mit grünen Bohnen und gingen zu Bett. In die Kojen, nannte das Horst. Am nächsten Morgen regnete es weiter. Der See schien noch größer geworden zu sein. Wir saßen uns gegenüber und warteten. Horst machte den Deckel vom Getriebe auf und sah hinein, tieftraurig, weil es nun funktionierte, und es gar nichts zu tun gab. Ich putzte den Aschenbecher mit Sidol, obgleich er nie da stand, wo die Asche fiel.

Als das ›Adagio‹ um den Anker schwoite, warf ich einen Blick durchs Bullauge. Unter dem trommelnden Regen lag am Ufer ein winziges Ein-Mann-Zelt, bang an den Boden geduckt, und davor, kieloben ein lendenlahmes Faltboot.

Am nächsten Tag regnete es noch mehr. Wir setzten das Radio in Betrieb, wir knipsten den Knopf an, schüttelten den Apparat, schlugen von rechts mit der Faust dagegen und legten ihn dann halbschräg nach hinten auf ein Sofakissen. Nun ging er, solange man nicht an das Sofakissen kam. Marschmusik, Paradeschritt, ein nicht ganz nüchterner Herr mit fetter Stimme hielt eine feuernde Rede gegen unsere Feinde, die wir haben würden. – Begeistert tosendes Volk, und dazwischen ein Ansager mit tiefer Stimme, bewegt und heiser. – Die Luftwaffe dröhnte. – Und nun – Das Boot hatte geschwankt und den Empfang unterbrochen. Auch wir schwiegen.

Nach vier Tagen sahen wir wieder durch das Bullauge, aus dem Zelt erschien eine Hand und beförderte Eierschalen ins Freie. Da wußten wir, daß der Paddler noch lebte. Wir warfen den Motor an, fuhren nah an das Ufer und wateten in Gummistiefeln durch das seichte Wasser an Land. Ich klopfte an die naßgespannte Zeltwand. Der Paddler lag in einem Mief von Decken, Töpfen und Socken, und wir luden ihn zum Souper ein.

Wir fanden das sehr nett von uns; und als wir wieder in der Kajüte saßen, tranken wir eins darauf. Nur, meinte ich, immer Rumpsteak mit grünen Bohnen, das sei nicht das Richtige für einen Gast.

»Wieso?« fragte Horst. Ich goß neu ein und konnte ihn schließlich überzeugen. Wir einigten uns auf – Geflügel vielleicht, und reinigten und luden unsere Flobertpistole, die wir gegen Einbrecher bei uns führten. Mit diesem Instrument erlegte Horst vom Heck des Bootes aus eine bejahrte Stockente. Sie merkte nichts davon, und wir freuten uns und tranken darauf eins. Dann begannen wir mit der Zubereitung. Da wir kein Telefon hatten, um Horstens Schwester anzurufen, waren wir auf uns selbst angewiesen. Wir tranken eins darauf. Vorerst, meinte Horst, müsse man die Federn entfernen. Das Gröbste machte er mit der Blechschere. So wurde die Ente zum Igel. Die Stacheln zog ich mit der Kombinationszange aus, was sehr mühselig war, weil sie immer an der Zange kleben blieben. Und dann tranken wir eins. Aber irgend etwas war noch immer auf der Haut der Ente. Horst holte den Rasierapparat; der kratzte und hakte sich fest. Ich packte Rasiercreme und Pinsel aus. Aber Horst konnte sich nicht entsinnen, in der Küche seiner Mutter jemals eine Ente mit Seifenschaum gesichtet zu haben. Hier befanden wir uns auf Abwegen. Deshalb setzten wir die Lötlampe in Brand, bis sie blau fauchte, und nun schien es wieder zu stimmen. Da tranken wir noch eins. In bester Laune spießten wir die Entenleiche der Länge nach auf unseren größten Schraubenzieher, beträufelten sie mit Butter und auch ein wenig mit Steinhäger, und drehten sie über der Lötlampe, bis das ganze Boot nach Weihnachten duftete.

Ich schnitt sie mit der Blechschere auf. Es war kein schöner Anblick, denn innen hatten wir wohl etwas falsch gemacht, und das quoll nun ans Tageslicht. – In zwanzig Minuten würde der Paddler kommen.

Wir warfen die Ente ins Wasser und änderten das Menü ab: Rumpsteak mit grünen Bohnen.

Friedlich neben dem Boot schwamm die aufgeschnittene Ente und sah uns vorwurfsvoll an. Deshalb ließen wir auf jener Seite die Bootspersenning herab.

Ach, wie sich der Paddler freute!

Im langen Bootssessel streckte er wohlig alle Viere von sich, während der Regen weiter auf das Sonnendach prasselte und am anderen Ufer des Sees die Lichter einer kleinen Stadt aufblitzten. Wir öffneten die gute Flasche mit Kognak. Und später zogen wir hinunter in die Kajüte, Horst mahlte Kaffee, und der dankbare Paddler bewunderte mit Gebühr die verchromten Leselämpchen und das schöne Wandthermometer, auf dem man ablesen konnte, ob es warm oder kalt ist. Ein sympathischer Mensch! Und wir luden ihn ein, die Rückreise nach Berlin an Bord unseres Motorbootes zu unternehmen, ohne einen einzigen Paddelschlag zu tun, und immer im Trocknen; und das Paddelboot, das könne er hinten anhängen. Der Paddler tupfte schweigend die Zigarette aus, machte in seinen beuligen Trainingshosen eine kühle Verbeugung und verließ gekränkt unser Schiff.

Weil er ein Paddler war.

Als wir am nächsten Mittag aufwachten, schien eine breite Sonne auf das Wasser und auf unsere feuchten, dampfenden Persennings. Neben dem Boot schwamm noch die Ente. Am Ufer belud der Paddler sein Boot und zwängte sich selbst mit hinein. Dann grüßte er noch einmal zu uns herüber – Horst und ich sahen uns erleichtert an – und paddelte davon in den glatten See.

Wir räumten ein wenig auf; Horst ergriff unsere Einkaufstasche und begab sich an Land.

Ich muß zu seiner Rechtfertigung sagen: schon seit mehreren Tagen kaufte er kein Rumpsteak mehr; aber er konnte kaufen, was er wollte, in der Pfanne wurde es doch immer Rumpsteak.

Als Horst außer Sicht war, packte ich die noch verbliebenen dreiundzwanzig Büchsen mit grünen Bohnen in den Eimer für alles und wanderte damit in entgegengesetzter Richtung zu einer weit abseits liegenden Ortschaft, wo ich sicher vor Horst war. Ich fand einen Kolonialwarenhändler, der Taschenmesser führte, Einlegesohlen, Ketten für Kettenhunde und zwei ältere Rollfilme. Ich stellte den Eimer auf die Theke und fragte ihn, ob er mir die Büchsen mit den grünen Bohnen umtauschen könne gegen etwas anderes.

Wo ich sie herhätte, wollte er wissen.

Aus Berlin, sagte ich.

Aus welchem Geschäft, wollte er wissen.

Ich sagte, die hätte mein Freund gekauft.

Dann solle mein Freund kommen, sagte er.

Ich sagte, das ginge aus bestimmten Gründen nicht, und der dürfe auch nichts davon wissen, der hätte sich so an die grünen Bohnen gewöhnt.

Der Mann stellte den Eimer hinter die Theke, sein Gehilfe verließ den Laden, und er selbst bediente inzwischen die anderen Leute und ließ mich herumstehen. Die Leute sahen mich neugierig an, denn Besuch aus Berlin schien selten zu sein; allerdings war ich für ländliche Verhältnisse kühn gekleidet: ich trug meine weißen Shorts, die zu Beginn meiner Reise einmal heller gewesen waren, dazu ein frisches seidenes Hemd, denn wir wechselten oftmals die Wäsche, und auf dem Kopf die Kreissäge, die ich noch aus der Schulzeit hatte. Und außerdem war zu Beginn unserer Reise abgemacht, daß sich keiner rasieren dürfe, damit es eine wahrhafte Erholung werde.

Der Gehilfe kam zurück mit dem Ortsgendarmen. Der Ortsgendarm trug den Eimer mit dreiundzwanzig Büchsen grüner Bohnen zur Landgendarmeriestation; ich mußte an seiner Seite gehen.

»Haben Sie Papiere?«

»Die befinden sich auf meiner Motorjacht«, erwiderte ich, und sagte ›Jacht‹, damit der Kerl es mir glaubte.

»Womit weisen Sie sich aus?«

»Im allgemeinen mit Geld«, erwiderte ich von oben herab, damit er höflicher wurde.

»Das Geld werden wir auch erst mal sicherstellen«, sagte der Ortsgendarm und griff mir in die Hosentaschen. Er fand aber nur die Kombizange, an der noch etwas Blut von der Ente klebte, und in der anderen Tasche ein umgebogenes Stück Draht. Die Kombizange faßte er mit Papier an, und zu dem Draht sagte er Aha! und tat ihn in ein Kuvert. »Und wo haben Sie das Geld?« – das war auch auf der Jacht.

»Dann bleiben Sie mal hier, bis heute nachmittag der Chef kommt.« – Ich bat ihn, mit mir zu kommen, aber die Jacht glaubte er mir nicht, obgleich sie doch kaum einen Kilometer entfernt auf dem See schwamm.

Indessen war Horst mit dem Fleisch an Bord zurückgekehrt. Damit es nicht wieder Rumpsteak wird, hatte er gekochten Schinken gekauft. Er wollte es gleich ausprobieren, wunderte sich über die Unordnung und die aufgerissenen Bilgeklappen und entdeckte den Raub der Prinzeßbohnen. Er warf den gekochten Schinken aufs Radio – das sogleich zu spielen begann – und begab sich unverzüglich auf die Polizei, um Anzeige zu erstatten.

Die Polizei funktionierte. Das Telefon klingelte, mein Ortsgendarm ging mit knirschenden Schritten zum Apparat und nahm die Meldung entgegen, daß innerhalb der letzten Stunde dreißig Büchsen grüne Bohnen von Bord eines Motorbootes gestohlen worden seien.

»Es waren nur dreiundzwanzig!« stellte ich richtig.

»Sie geben die Tat also zu!«

»Nein! Denn es sind doch meine Bohnen.«

Rückfrage bei der anderen Station. Der Landstreicher mit den Bohnen sei bereits festgenommen, er mache allerdings die Einwendung, die Bohnen seien sein Eigentum.

Das sei nicht wahr, tobte Horst drüben, der noch nicht wußte, daß ich der Landstreicher war, es seien seine Bohnen, denn er habe sie gekauft, und sein Vater habe sie bezahlt.

Am Abend wanderte ich den Weg wieder zurück samt Eimer und grünen Bohnen. Und Horst trabte mit dickem Gesicht neben mir her, und sagte noch immer, es seien dreißig gewesen. – So lebten wir auch fortan von Rumpsteak und grünen Bohnen. Bis eines Tages das ›Adagio‹, schrammenbesät und mit Algen bewachsen, wieder in unseren Heimatsee einbog, zweimal lange und rostig hupte, und wir an Land stiegen, mager und braun und mit bartumrandeten Gesichtern. Meine Eltern waren glücklich, mich wiederzusehen, und auch das Boot. Und zum Abend ließ mir meine Mutter – zu Ehren meiner Ankunft – mein altes Lieblingsgericht bereiten: Rumpsteak mit grünen Bohnen.

Eng zusammengedrückt standen wir im Vorzimmer unseres Professors für Maschinenbau. Wenn ich mich auf die Zehenspitzen stellte, konnte ich ein wenig von dem Assistenten sehen, der hinter einem Tisch saß, unsere Namen aufrief und dann eine Papphülle über den Tisch reichte, die von den anderen weiter nach hinten balanciert wurde, bis sie an den Aufgerufenen geriet. Wir erhielten unsere Konstruktionsaufgabe zurück: Antrieb für die Schwenkbewegung eines Portalkranes. Neben mir wartete Horst, und wir kannten uns nun schon so lange, daß wir nicht mehr viel redeten. – Wie man Getriebe für wechselnde Drehrichtung konstruiert, hatte uns vorher der Professor an der Tafel gezeigt. Und wessen ein Getriebe alles fähig ist, das wußten Horst und ich vom Boot her. Und deshalb hatte ich den Schwerpunkt meiner Konstruktion nicht auf das Innere, sondern auf den Deckel gelegt, der so groß wurde wie das ganze Getriebe, damit der Kranführer jederzeit hineingucken kann, um zu sehen, warum es wieder nicht geht. Und weil auch dem Kranführer dann der passende Schraubenschlüssel fehlt, oder der Schraubenschlüssel, wenn er nicht fehlt, ihm bestimmt aus der Hand rutscht, und der Kranführer die eiserne Leiter zum Hafenkai hinabklettern muß, um den Schraubenschlüssel wieder aufzuheben und nach oben zu bringen, hatte ich in meiner Zeichnung alle Schrauben mit Flügelchen versehen und kleinen Handgriffen, so daß der Kranführer sie ohne Werkzeug bequem herausdrehen konnte. Und nachher vielleicht auch wieder hinein.

Meine Papprolle kam. Draußen im Gang zog ich meine Zeichnung heraus. Aber sie war nicht testiert, sondern mit Rotstift quer durchstrichen. Ich ging wieder hinein. Der Raum war leer geworden; der Assistent rauchte eine Zigarette.

Warum dies durchgestrichen sei, wollte ich wissen.

Der Assistent hatte rote Haare: So etwas mache man nicht. – Und meinte den Riesendeckel und die Flügelschrauben.

»Warum macht man das nicht?« Ich fand es nämlich sehr praktisch.

»Weil es keiner so macht, Herr!«

Dumm genug. »Und warum macht es keiner so?«

»Weil es so nicht geht.«

»Wollen Sie mir nicht erklären, bitte, warum?«

Der Assistent erhob sich ungeduldig vom Stuhl: »Weil, wie ich Ihnen schon sagte, man sowas nicht macht.«

»Und warum bitte – –«

»Herr!! –« Nun wurde auch sein Gesicht rot.

In diesem Augenblick erschien in der Tür der Professor und kaute still an seinem Bart. Ich rollte die Zeichnung zusammen.

»Wenn die Menschen«, wandte sich der Professor an den Assistenten, »wenn die Menschen immer nur das gemacht hätten, was auch die anderen machen, dann hätten sie heute nicht einmal eine Dampfmaschine.«

Ich blickte überlegen auf den Assistenten und reichte dem Professor meine Zeichnung zum Testat. Er sah nicht einmal hinein, sondern griff in die Weste und machte einen zweiten roten Strich hindurch: »Und Sie, junger Freund, ehe Sie etwas machen, wie man es nicht macht, müssen Sie erst einmal lernen, wie man es macht.«

Die Schneeflocken trieben in die grellen Lichtkegel der Automobile und in meine Sandalen, und der Wind wehte eisig um meine nackten Beine. Mit meiner doppelläufigen schweren Pistole blieb ich an einer alten Frau hängen, und der Ladestock fiel in den Rinnstein. Ich überquerte den Fahrdamm, und vor mir schritt ein Muselman mit Aktentasche. Ihm folgte ich eine steinerne Treppe hinauf. In der Garderobe stieß sich ein beleibtes Wesen mit weißer Schürze durch die hängenden Mantelreihen, während neben mir eine Spanierin ihren Lodenmantel auszog, an der Flügeltür ihre Eintrittskarte vorzeigte und von da ab feurig lächelte.

In den Sälen endete gerade der Tanz. Verfrühte Luftschlangen zogen gebogene Bahnen und sanken zusammen. Ein dunkelblondes Hawaimädchen pflückte mir die Federn vom Schlapphut. Ich griff nach ihr, aber sie gehörte zur Zeit einem Eskimo, der sich auf seinem Stuhl totlachte und schwitzte.

Wenn ich nur Horst fände! – So setzte ich mich an einen fremden Tisch. Die Tanzkapelle fiel mit einem Saxophonschrei ein, und die Kostüme erhoben sich und drängten zur Fläche und wurden ein bunter, rhythmisch brodelnder Eintopf. Von einem leeren Nebentisch schlug mir eine Japanerin eine Pritsche über die Schulter. Wirklich nett von ihr, aber das Tanzen hatte ich nie gelernt, nur das Nachhausebringen, und dazu war es noch zu früh. – »Herr Ober!«

Klatschen und Stühlerücken. Ich sah in rote, grüne, weiße, blaue und schwarze Masken, die außer Atem waren und schnell sprachen, flüsterten und lachten.

»Herr Ober, bitte, denselben noch einmal!«

Musik. Ich zerkrümelte eine Weißbrotscheibe.

Ein aus dem Rheinland gekaufter Büttenredner trug mit heiserer Stimme Witze vor, immer schneller werdend, weil keiner hinhörte. Und dann drängten sie wieder zum Tanz.

Wenn die Japanerin noch da wäre, würde ich es vielleicht doch versuchen. Oder mit einer anderen, die mir mit der

Pritsche auf die Schulter schlüge; dann wäre sie es selber schuld.

»Herr Ober, nochmal!«

Eigentlich war auch ich sehr lustig und entdeckte, daß ich mich schon seit geraumer Zeit mit einem tätowierten Seemann unterhielt. »Vor allem darf man Kugellager nicht zu reichlich schmieren«, sagte ich.

»Ich habe auch noch nie ein Kugellager geschmiert«, verteidigte sich der Seemann.

»Gut so, denn sonst entsteht im Lager Wärmestauung«, ich griff zu meinem Glas. Es war leer. Ich goß neu ein. »– und solch eine Wärmestauung, verstehen Sie –« Aber das Glas war noch immer leer. Und deshalb goß ich abermals ein: »– Eine solche –« Ich hatte eine kleine Hand gesehen, die über meine Schulter griff. Oho! und drehte mich blitzschnell um! Das Mädchen mit der Seidenmaske entschlüpfte, in der Hand meinen Hinterberger Nonnensitz natur.

Ich stieß mich an Stühlen, glitt auf Parkett aus, sprang hinter ihr die Stufen empor und über die Schultern verliebter Paare, setzte mit einer Flanke über einen verlassenen Tisch und prallte an der Balustrade mit ihr zusammen, wir hielten uns aneinander fest, drehten uns um uns selbst, durch einen Gang und eine andere Treppe wieder hinab, und die Musik begleitete uns dazu im Takt, und es drehten sich auch die anderen. Ich drückte sie an mich. Ihr Kostüm knisterte, unsere Herzen klopften, und ich fühlte, wie schön sie war. Schlagzeugrasseln, Stimmen, Drängen und Schieben.

Ich hatte getanzt! – Sie ergriff ein Sektglas und goß es mir in den Mund.

Luftballons platzten.

Wir tanzten den nächsten Tanz. Und den nächsten. Lehnten uns an eine Wand, und ich atmete schnell, und sie lachte dunkel, verhalten. Die Musik rief. Nun war der Raum durchwoben von Luftschlangen, die sich um unsere Gesichter garnten. Es pochte in meinen Schläfen. Fünf vor zwölf. Ich fühlte kaum noch den Boden. –

»Ich will nach Hause!« Sie eilte zum Ausgang.

»Jetzt? Fünf Minuten vor der Demaskierung?« Ich stolperte hinter ihr her.

Auf der stillen Straße wollte ich ihr behutsam die Larve vom Gesicht ziehen. Aber sie entwand sich und hastete weiter. – Ein Nachtomnibus schaukelte uns teilstreckenweise durch unbekannte Straßen; die Bänke waren kalt, das Licht trübe. Wir saßen einsam. Der Schaffner kletterte mürrisch die Stufen hinab. Als auch sein Kopf verschwunden war, küßte ich sie.

»Willst du nicht endlich die Larve abnehmen?«

»Wir müssen aussteigen.«

Es schneite noch immer. Die Straßenlaterne hatte weiße Kränze. Ganz fern sah man noch das rote Licht vom Autobus. Mit dem linken Arm preßte ich sie an mich, bis sie wehrlos war, und mit der rechten Hand riß ich ihre Larve vom Gesicht. Und fuhr erschüttert zurück!

Sie ging langsam auf ein Haus zu: »Nur einmal im Jahr, wenn alle Masken tragen, kann ich unter die Menschen gehen. Von einem solchen Abend muß ich dann wieder ein Jahr leben.« Sie blieb noch einmal stehen und wandte mir ihr entstelltes Gesicht zu: »Und dieses Jahr fällt nun aus.«

Ich suchte nach einer Antwort.

Die Haustür hatte sich von innen geöffnet. Ein älterer Herr mit feinen Schläfen ließ seine Tochter schweigend ein.

Neben der Laterne lag noch die abgerissene Larve, und die herabschwebenden Schneeflocken deckten sie mit weißen Sternchen zu.

Weil ich einer von den Langen war, hatte man mich in den tiefen Teil des Wassergrabens kommandiert, weil die Gummistiefel aber keine von den Langen waren, nutzte mich meine Länge nichts, denn das lehmige Wasser floß in die Schäfte. – Ich stieß die dreieckige Blechschaufel in den Grund, dann zog und hebelte ich am Stiel, unter Wasser gab es ein saugendes Geräusch, ein Glucksen, die Schaufel kam zur Oberfläche, die Hälfte des Lehmes troff seitlich wieder hinab, und mit der anderen Hälfte schwang ich – so gut ich konnte – die Schippe über mein Haupt zum oberen Grabenrand. Dann drehte ich sie wieder um, und der Lehm klebte noch immer daran. Ich wackelte mit der Schippe in der Luft, klatschte sie auf den Erdboden, aber zum Schluß blieb nichts anderes, als sie wieder in das Wasser zu tauchen und dann so lange hin und her zu schwenken, bis der Lehm sich aufgelöst hatte. Nun galt es, eben diesen Lehm wieder aus dem Wasser zu schaufeln.

»Arbeitsmann van Tast!« Der Ruf kam von jenseits des Moores aus dem Barackenlager.

Auf dem Grabenrand erschien ein Truppführer und stellte

sich einen Augenblick spreizbeinig gegen den Himmel. »Arbeitsmann Tast!« wiederholte er. Ich stieg aus dem Wasser der Gummistiefel, die allein im Graben zurückblieben, quetschte meine Füße in die Schnürschuhe und hakte den sinnlosen Lederriemen um den Leib und machte dabei einen schnellen Wochenüberblick: einen Spaten verloren, eine Wurst geklaut, eine tote Katze in die Kaffeekanne der Führerbaracke gestopft, anschließend zwei Stunden Freizeit, weil der Täter gesucht wurde. Aber sonst war mein Gewissen klar wie ein Kristall.

»Arbeitsmann van Tast zum Lagerführer!« Auf dem Exerzierplatz marschierten in rotem Staub einhundertfünfzig auserlesene Mann Paradeschritt in Achterreihen für den kommenden »Parteitag des Friedens« 1939, mit sidolgeputzten Spaten.

In der Schreibstube hatten Amtswalter und Lagerführer rote Köpfe. Auf dem Boden rollten zwei leere Sektflaschen. Der Panzerschrank stand weit geöffnet. Man räumte Kuverts aus mit der Aufschrift ›Geheim! Zu öffnen bei Stichwort Teutoburg‹ und riß sie auf, setzte mich, so wie ich war, an den Schreibtisch, und nun mußte ich alle Wehrpässe stempeln: ›Abgestellt zur Wehrmacht!‹ Es eilte.

›Abgestellt zur Wehrmacht! – Abgestellt zur Wehrmacht! – Abgestellt zur Wehrmacht!‹ – Ununterbrochen ging das Telefon: »Dromedar Stufe I ausgelöst. 17 Uhr 5.« Draußen sangen einhundertfünfzig Mann: »– – und das heißt E – – ehrika!« Und hundertfünfzig auserlesene Mann übten noch immer Paradeschritt für den Parteitag des Friedens.

›Abgestellt zur Wehrmacht! – Abgestellt zur Wehrmacht!‹ – Es ging schon ganz automatisch. Lastwagen fuhren vor, das Singen brach ab, ich hörte heisere Kommandos, Trampeln in den Baracken, ein dreifaches Heil! Dann brummte es davon.

Die Nacht kam. Auf einem Schemel schlief der Amtswalter seinen Sekt aus, die dicke Stirn war gegen den Panzerschrank gesunken. Ein lauer Wind strich über das Moor und die verödeten Baracken, und eine offengelassene Tür seufzte in den Angeln. Vor mir auf dem Schreibtisch lag noch der Stempel.

Nun also war Krieg.

Horst und ich nahmen das Studium nicht wieder auf, sondern wurden vom Arbeitsamt erfaßt und als Konstrukteure in die Industrie gesteckt. Wir wohnten zusammen, Horst hatte das Kochen übernommen, und ich das Saubermachen. Deshalb aßen wir auswärts. Und zum Saubermachen war immer noch Zeit. Alle acht Tage war Samstag, und auch heute wieder, und es regnete, und auch dieser Samstag ging langsam zu Ende, und wir hatten noch nichts mit ihm angefangen.

Man sollte irgendwo hingehen.

Unmöglich, bei dem Wetter!

Dann jemand einladen?

Bei der Unordnung?

Vielleicht räumt sie auf?

Wer? – Ich blätterte in einem alten Kalender und stutzte vor einer Telefonnummer, von fremder Frauenhand quer über drei Wochentage geschrieben.

Aber ich wußte nicht mehr den Namen und auch nicht das Gesicht. So kletterte ich vom Sessel, stieg über ein Bügelbrett, wich den Schallplatten aus, und wählte die Nummer. Horst und ich sahen uns erwartungsvoll an.

»Ach Sie – nein wirklich wie nett – heute abend – schrecklich gern – ja nein sowas – bin nämlich eingeladen – aber das macht nichts – entsetzlich nette Leute – und Sie könnten doch mit mir – ja auch Ihr Freund – ist das noch derselbe – au fein – also in einer halben Stunde – da müssen Sie aussteigen – ich steh dann da – und dann noch vier Minuten – nein, Umziehen ist nicht nötig – ganz süßes Haus und furchtbar einsam unter Tannen – also bis gleich!« – Klick!

Horst war ganz schwindelig, denn er hatte mitgehört. Und umziehen müßten wir uns doch. Aber dann würden wir den Bus nicht mehr kriegen. Und deshalb rissen wir die Mäntel von der Garderobe, stülpten uns die Hüte auf und knallten die Tür hinter uns zu. – Natürlich war der Autobus weg. Natürlich kamen wir eine halbe Stunde zu spät. Natürlich stand sie nicht mehr auf dem verabredeten Platz. – Wir warteten, ob sie vielleicht nicht doch noch käme. Über den verdunkelten Häusern übten die Scheinwerfer der Flak.

»Daß du auch nicht einmal weißt, wer sie ist!«

»Doch!« Ich entsann mich inzwischen: »Irgendetwas vom Wasser.« Es begann wieder zu regnen. Die Scheinwerfer verloschen. Unsere Mäntel troffen. Es wurde zehn Uhr.

Die kommt auch nicht mehr! –

Die ist gekommen und hat nicht gewartet! –

Vier Minuten von hier hat sie gesagt. –

Einsames Haus unter Tannen. Hat sie auch gesagt. –

So marschierten wir in die erste Seitenstraße, vier Minuten weit. Kein Haus unter Tannen. Wir marschierten in die zweite Seitenstraße. Wir probierten die dritte. In der vierten gelangten wir nach Punkt vier Minuten an das einsame Haus unter drei Kiefern. Ich drückte den Messingknopf an der Gartenpforte. Unter unseren Mänteln rückten wir unsere Krawatten zurecht. Der Regen nahm zu und rauschte.

Dann drückte Horst auf den Knopf. Und noch einmal. Länger. In der Ferne sang eine S-Bahn über die Schienen. Wir kletterten über den Zaun, aus dem Haus drang Tanzmusik und Lachen! An der Haustür klingelten wir abermals.

Schließlich klopften wir. Erst bescheiden, dann heftiger. Und auch ein wenig mit dem Absatz. Drinnen sangen sie nun einen Schlager, Frauenstimmen hoben sich schrill heraus. »Bei dem Radau«, knurrte Horst, »können die uns auch nicht hören!«

Sollen wir umkehren? Dicht vor dem Ziel?

Ich probierte die Klinke, die Tür gab nach, und ich befand mich in einem Vorraum mit Hüten, Gummischuhen und Pelzmänteln. – »Hallo!« rief ich. Sie hatten eine neue Platte aufgelegt. – »Hallo!« Silhouettenpaare bewegten sich rhythmisch über das Mattglas einer breiten Schiebetür. In diesem Augenblick öffnete sich neben mir eine Küchentür. Eine Dame im Abendkleid trug eine Platte mit belegten Brötchen. Sah mich, drückte die Platte mit Brötchen an den Busen, machte den Mund auf und schrie.

Die Flügeltür wurde aufgerissen. Männer in Abendanzügen standen mir gegenüber, nicht ausgesprochen freundlich, und hinter ihren Schultern sah ich ängstlich neugierige Frauenköpfe.

»Was machen Sie hier?«

»Guten Abend. Ich bin hier sozusagen eingeladen.«

»Davon ist mir nichts bekannt«, sagte ein Herr mit energischem Kinn und drängte sich durch die Gruppe. Jemand stellte den Plattenspieler ab.

»Aber das ist doch hier das einsame Haus?«

»Was wollen Sie damit sagen?«

»Mich hat eine Dame eingeladen, mit ihr zu kommen.«

»Und wo ist diese Dame?«

»Die muß schon hier sein. Unter Ihren Gästen.«

Der Hausherr sah nach hinten zu den Damen. Dann wieder zu mir: »Bedauere!« – Ich erhob mich ein wenig auf die Zehenspitzen, aber auch ich konnte kein Mädchengesicht vom Wasser finden.

»Vielleicht verraten Sie uns den Namen der Dame?«

»Den weiß ich auch nicht, ich kenne nur ihre Telefonnummer.«

»Sehr seltsam«, sagte jemand gedehnt. Unter den Gästen erhob sich ein Murmeln, und ich sah in ironische Augen.

»Ich weiß«, gab ich zu, »es ist eine Verkettung von merkwürdigen Umständen: daß ich den Namen der Dame nicht weiß, den Autobus verpaßt habe, und Ihr Haus vier Minuten entfernt ist, daß Sie Ihre Klingel nicht gehört haben, Ihre Haustür offen war, und Ihre Frau Gemahlin aus der Küche kam, ehe ich an der Schiebetür klopfen konnte.« Ich machte eine Verbeugung: »Ich bitte um Entschuldigung.«

Nun sahen mich die Leute schon freundlicher an. Oh bitte – so etwas kommt vor. Eine Dame kicherte.

Der Hausherr war an mich herangetreten: »Es tut mir leid, wenn ich Sie im ersten Augenblick – –.« Alle erstarrten und sahen an mir vorbei. Ich fuhr herum, die Haustür öffnete sich sacht einen Spalt, und Horst, dem es draußen zu lange dauerte, steckte seine Nase hindurch: »Nun, wie ist es da drinnen?« Erblickte die vielen Leute, zog die Nase schleunigst zurück und die Tür wieder zu. Dann hörte ich seine eiligen Schritte im Kies.

Ich wollte mir meinen Hut aufsetzen, aber der war schon auf dem Kopf. »Ja – dann – dann entschuldigen Sie nochmals vielmals.«

Aber mein Rückzug war durch einen Oberleutnant in Urlaub verstellt.

Aus der Küche tropfte der Wasserhahn.

Eine Frauenstimme lachte klirrend. Nun schritt sie auf mich zu mit langen schwarzen Locken und auf Plexiglasschuhen, lachte noch immer und reichte mir die Hand. »Die Dame bin ich.« Und zu den Leuten: »Darf ich vorstellen: Herr Kunze!«

Ich hieß nicht Kunze und machte eine Verbeugung.

»Herr Kunze und ich haben eine Nacht lang im Esplanade getanzt.« – Ich war nie im Esplanade gewesen und machte eine zweite Verbeugung.

Sie machte mir beschwörende Zeichen mit langen Wimpern: »Und ich wollte nur einmal sehen, ob Herr Kunze mich noch wiedererkennt.«

Man lachte erleichtert durcheinander und entschuldigte sich. Der Oberleutnant machte eine formvollendete Verbeugung. Der Hausherr half mir aus dem nassen Mantel und schob mich in den Raum mit Zigarettenrauch, Sesseln und Gläsern. Eine mollige Blondine setzte den Plattenspieler wieder in Gang. – Wollen Sie süß oder herb?

Die mit den Schuhen aus Plexiglas blieb neben mir und hieß Agathe und konnte 25 oder 35 sein, alleräußerst 45. Und wenn sie mit mir sprach, beugte sie sich sehr weit vorn über, und dann bekam ich jedesmal warme Ohren. Und es waren überhaupt alles freundliche Leute. Dann mußte ich tanzen. – »Ich danke Ihnen!« flüsterte ich und hatte damit einen Vorwand, ihr nahe zu kommen. – »Oh bitte!« – Ich fühlte einen Hauch an meinem Hals. – »Und Sie tanzen ganz miserabel!« – Später entdeckte ich, daß sie ihren Brillantring vom Finger genommen hatte.

Irgendwann gab es Mokka. Jemand rollte die Verdunklungsvorhänge hoch, und die Morgensonne schien in unsere übernächtigten Gesichter.

Sonntag abend ermunterte ich Horst, ins Kino zu gehen. Dann rasierte ich mich.

Dienstag räumte ich die Wohnung auf und fand dabei meinen einen Pantoffel wieder.

Mittwoch malte ich die Glühbirnen rot an, weil Agathe sich über das helle Licht beklagte.

Donnerstag probierte ich vor dem Spiegel einen Scheitel. Aber er machte mich noch jünger.

Freitag bat ich im Lohnbüro um Vorschuß.

Am Samstag waren meine Lebensmittelkarten zu Ende, bis auf einen Stammabschnitt für Nähgarn.

»Liebst du mich?« fragte Agathe.

»Ich liebe dich«, antwortete ich.

»Wirst du mir schreiben, wenn du an der Front bist?«

»Sie haben mich nur garnisontauglich befunden.«

»Das macht keinen Unterschied mehr, sagt mein Mann.«

»Du bist verheiratet?«

»Deine Firma hat Dich UK gestellt?«

»Ja. – Bist du wirklich verheiratet?«

»Wenn du es nicht glaubst: Mein Mann sitzt auf dem Wehrbezirkskommando und bearbeitet gerade deinen Antrag.«

»Dein Mann? Ach so.«

»Bleib doch sitzen! – Das heißt, er denkt noch immer darüber nach.«

»Weiß dein Mann, Agathe, – daß wir uns kennen?«

»Ich glaube nicht, daß er dann noch lange nachdenken würde.«

»Und wenn er jetzt nachdenkt, glaubst du, daß er den Antrag genehmigt?«

Agathe krallte ihre Finger in meine Haare und zog mich wieder zu sich herab: »Bestimmt. Wenn ich ihn sehr darum bitte. – Küß mich!«

»Rrrechts – um!!«

Rums – klack!

Das ›Klack‹ übrigens war von mir! Der Unteroffizier überlegte einen Augenblick, ob wir zur Strafe noch einmal links um machen sollten. Er wollte aber nichts mehr von mir wissen.

»Im Gleichschritt – marrsch!!«

In der Wochenschau hatte das anders ausgesehen: da fuhren sie gemächlich in dicken Panzern, und der Anführer sah oben aus dem Deckel heraus. Oder sie flogen in Flugzeugen, radierten eine Stadt aus und waren schnell wieder zu Hause und wurden gefilmt.

Hier aber ging man zu Fuß. Vielleicht hätte ich mich daran gewöhnt, wenn es nicht immer so früh am Morgen gewesen wäre, und sie wollten bei mir auch keine Ausnahme machen, obgleich ich gern bereit gewesen wäre, dafür abends etwas länger zu marschieren.

Auf Grund der vorangegangenen Korrespondenz hatte ich annehmen müssen, daß die Wehrmacht ganz versessen auf mich war. Ohne mich kam man offenbar nicht weiter! Der Empfang hingegen war enttäuschend gewesen. Der am Tor hatte nichts von mir gewußt und mich erst hineingelassen, als ich ihm den letzten Brief vorlegte. Und als ich, um meinen guten Willen zu beweisen, ihm beflissen Heil Hitler! wünschte, hatte er bedeutsam an die Stirn getippt. Auf der Schreibstube schrieben Leute, die nicht Schreibmaschine konnten, lange Listen auf Schreibmaschinen, und waren auch nicht auf mich vorbereitet, sondern hatten mich auf eine leere Stube geschickt und gesagt, dort solle ich warten und mich ruhig verhalten. Und ich hatte dort gewartet, solange meine Vorräte reichten, und mich ganz ruhig verhalten. Aber nach drei Tagen war ich noch einmal auf die Schreibstube gegangen, um mich zu erkundigen, wo man hier speisen könne. Und nun hatten sie erst gewußt, was sie an mir hatten, denn alle Schreibmaschinen hörten auf zu klappern, und die Schreibstubensoldaten fluchten und sagten: Das sind Sie also! – Denn trotz meines zurückgezogenen Lebens war ich in drei Tagen bekannt geworden und der Polizei gemeldet als flüchtig. Aber nun, hatte ich gedacht, werden sie froh sein, daß ich gar nicht flüchtig bin, sondern mich nur ruhig verhalten habe. Statt dessen hatten sie noch mehr gebrüllt, weil ich nicht flüchtig gewesen war, und ihre Meldungen nicht stimmten und die Listen auch nicht, und sie alles noch einmal tippen mußten.

»Links! – Links! – Links!« rief der Unteroffizier, denn wir mußten alle mit den gleichen Füßen laufen, und er umkreiste uns wie ein Hirtenhund.

Gestern hatten sie mich zum Friseur geschickt, damit ich auf dem Kopf auch so aussähe wie die anderen. Der Friseur schnitt herzlos die langen Enden ab, und da richteten sich meine Haare erleichtert in die Höhe. Ich fand, daß ich vorher besser ausgesehen hatte. Und als ich mit den aufrecht wogenden Haaren auf die Stube kam, stellte sich der Feldwebel spreizbeinig vor mich hin, und ich mußte so lange strammstehen und warten, bis er die richtigen Worte gefunden hatte. »Sie – !!« sagte er schließlich.

»Jawohl, Herr Hauptfeldwebel«, antwortete ich, weil ›Jawohl‹ auf Hauptfeldwebel beruhigend wirkt.

Der Friseur maß meine Haare mit einem Streichholz nach und sagte, sie seien nach Vorschrift.

Während die anderen auf dem Kasernenhof lernten, wie man Offiziere grüßt, auch wenn man sie gar nicht kennt, schickten sie mich hin und her, von der Stube zum Friseur und vom Friseur zur Stube. Diskutierten, ob die Länge der Haare am liegenden oder am aufrechten Streichholz gemessen wird, blätterten in der Heeresdienstvorschrift nach Haaren, die senkrecht stehen, und schnitten immer mehr ab. – Ich versuchte, dem Hauptfeldwebel mit Hilfe der Physik zu erklären, warum mein Haar immer höher steht, je kürzer man es schneidet, und ließ mich dabei nicht unterbrechen.

»Hinlegen!!« donnerte er. Ich warf mich vor ihm auf den Boden. Aber die Haare blieben stehen.

Der Friseur rieb Pomade hinein. Nun taten die Haare sich zu spitzen Gruppen zusammen, und mein Kopf sah aus wie ein Igel. Einen Igel wollte die Wehrmacht aber auch nicht.

Der Friseur griff zur elektrischen Maschine, und auf meinem Kopf blieb nichts, als ein bißchen Plüschteppich. Auf dem Kasernenhof rief ein Offizier: Kommen Sie mal her! Und fragte mich, ob ich keine Ehre im Leib hätte, und wie ich hieße, ob ich mich nicht schämte, und von welcher Kompanie ich sei, und ich sähe geradezu aus wie Stalin!!

Der Offizier war der Oberste in der Kaserne, und am Abend mußte der Hauptfeldwebel sich bei ihm melden. Dann wurde der Friseur geholt. Und ich.

Ein Mann mit kurzen Haaren, wie Stalin, sei in der Wehrmacht unmöglich, sagte der Oberst.

Ein Kerl mit langen Haaren, der aussieht wie ein Zivilist, verteidigte sich der Hauptfeldwebel, sei in der Wehrmacht erst recht unmöglich.

Jawohl, bestätigte ich stramm. Denn wenn es so und so unmöglich ist, müßten sie mich entlassen.

Der Oberst aber war über den Hauptfeldwebel gestellt und hatte am Schluß den ausdrücklichen Befehl gegeben, daß meine Haare wieder wachsen. Und gefälligst etwas schneller als sonst! – Und wir alle hatten mit den Hacken geklappt, ich, der Hauptfeldwebel und der Friseur.

Nun also wuchsen meine Haare, während wir noch immer marschierten. »Links! – Links! – Links!« Und das Gewehr drückte auf die Schulter, und war nicht zum Schießen da, sondern zum Saubermachen. Und wenn es sauber war, wurde es nachgesehen, ob es auch wirklich sauber war, und es war noch längst nicht sauber. Und anstatt es dann, wenn es endlich sauber war, in weiche Tücher zu wickeln und gut wegzulegen, mußten wir es mit nach draußen nehmen, in Staub und Regen, damit es wieder schmutzig wurde. Aber sie wollten nicht auf mich hören, sondern verschwendeten weiterhin Energien.

Ein Personenauto überholte unsere staubende Kolonne; hinten waren die Fenster zugeklebt mit einem Schild ›Behelfslieferwagen‹, und dahinter saß eine blonde Frau. Bestimmt die Sekretärin, weil man nur noch geschäftlich Auto fahren durfte.

»Links! – Links! – Links!« Wenn ich – –

»Ein Lied! – – Drei – vier!!« Und die Vordersten schraken hoch und stimmten an:

»Ja, in Wuppertal-Elberfeld
da, wo das Wasser fällt
da sehen wir uns wieder –«

»Aus!«

Nun waren auch die Hinteren wach geworden.

»Ein Lied! – – Drei – vier!«

»Ja, in Wuppertal-Elberfeld –«

»Aus!!«

Damit wir lauter singen, mußten wir uns die Gasmaske vor das Gesicht schnallen. – – »Drei – vier!!«

»Da, wo das Wasser fällt
da sehen wir uns wieder;
nur noch gegen England,
Rußland, U Es A –
Und dann ist alles
vorbei.«

Zur zweiten Strophe lockerte ich den Filterkopf der Gasmaske, denn mit Nebenluft geht es leichter. Das Gewinde war aber nur halb so lang, als ich dachte, und der Topf fiel auf den Boden. – »Moment!« rief ich, aber sie sangen weiter, und ich wagte nicht, mich zu bücken, oder alleine haltzumachen. Und solange ich den Filterkopf zwischen den Füßen der anderen kollern hörte, war er auch noch nicht verloren, sondern kollerte mit der Kolonne mit. Und ich hatte endlich Luft und sang aus voller Brust: »– und dann ist alles vorbei.«

Der Unteroffizier rief mir etwas zu. Ich verstand nicht, was er sagte. Er spritzte nach hinten und kam wieder nach vorn gelaufen, und reichte mir das Filter.

»Sehr freundlich«, bedankte ich mich. Und das eben war falsch.

»Kompanie – halt!«

»Treten Sie mal vor! – Jawoll, Sie, Sie sind gemeint!«

Vorerst zog der Unteroffizier das Heckenröschen aus meinem Gewehrlauf, das ich im Vorbeigehen gepflückt hatte. Die übrige Unterredung entsprach den Gebräuchen des Militärs und war einseitig:

»Hinlegen!«

Ich warf mich auf den Boden, und die Röhre des Gewehres schlug mir empfindlich gegen den Kopf.

»Aufstehen! – Kerl, wollen Sie Ihr Gewehr zur Sau machen? – Hinlegen!«

Ich schmiß mich erneut hin und gab acht, daß ich nicht wieder mit dem Kopf dagegen stoße.

»Aufstehen!« – Der stille junge Leutnant war hinzugetreten. Ob ich im Leben schon einmal etwas gehört hätte von ›Gewehr übergeben‹?

»Hinlegen!« Ich reichte das Gewehr schnell dem Leutnant und schmiß mich platt auf den Boden. Es blieb still um mich. Irgendetwas schien wieder nicht zu stimmen. Als man das durchnahm, mußte ich wohl gefehlt haben; vielleicht war ich da gerade beim Friseur gewesen. Ich riskierte ein Auge nach oben: der Leutnant starrte noch immer verblüfft auf das Gewehr, der Unteroffizier fragte mit belegter Stimme: »Sahren Se mal, Sie Heini, wat wollen Se eijentlich mal werden?«

Unteroffizier, Herr Unteroffizier, hätte ich beinahe gesagt. Statt dessen aber sagte ich bescheiden: »Tenor«.

Sanft und verständnisvoll wie zu einem Kranken: »Ach so. Denn stehn Se man uff.«

Wir marschierten weiter, ohne Gasmaske und Gesang. Mir fiel das Laufen nun leichter; es war offenbar eine Sache der Übung. – »Sie!« der Unteroffizier war wieder in gleicher Höhe mit mir, »wo haben Sie Ihr Gewehr?«

Ich zuckte im Marschieren die Achseln.

»Kompani–e – halt!!«

Das Gewehr war weg. – »Sie haben Ihre Waffe verloren?«

»Nein, Herr Unteroffizier.«

»Wo ist Ihr Gewehr?«

»Das weiß ich nicht, Herr Leutnant.«

»Ihnen war det Ding wohl zu lästig jeworden?«

»Nein, Herr Unteroffizier.«

»Mensch! – Kerl! – Sie – sind Sie ein Idiot?!«

»Ein Idiot, gehorsamst, Herr Unteroffizier.«

Der Leutnant blieb ruhig: »Die Kompanie wird zurückmarschieren, ausschwärmen und das Gewehr suchen. Aber vielleicht kann der Schwachsinnige uns Angaben darüber machen, wo er zum letzten Mal sein Gewehr gesehen hat.«

Ich stand stramm: »Entschuldigen Sie, Herr Leutnant, das Gewehr, das hatten zuletzt Sie!«

Am Abend dieses Tages war ich froh, in dem zu liegen, was das Militär mit Bett bezeichnet: zwei- oder dreistöckige Regale, in die man auf Kommando hinein- oder heraushüpfen mußte, gegen die auch nichts einzuwenden gewesen wäre, wenn man sein Lager nicht mit einem buckeligen Strohsack hätte teilen müssen.

Jeder zweieinhalbte Mensch ist ein Schnarcher. Auf der Stube waren wir zwanzig Mann. Auch daran hatte ich mich gewöhnt. Aber in dieser Nacht hatte der lange Pomm, von Beruf Pastor und Vater von vier Kindern (das fünfte war auf dem Weg, und dann würde er entlassen werden), eine Mausefalle gestellt. – ›Zick‹ machte die Falle, und dann schrie der Pastor Pomm »Hurra!« und röstete mit dem Streichholz das nächste Stückchen Speck, und spannte die Falle neu. Dann machte es wieder ›Zick‹ und der Pastor schrie »Hurra!« Mich hatten die Mäuse bisher nicht gestört, aber das ›Zick-Hurra!‹ ließ mich nicht schlafen. ›Zick‹ machte die Falle, »Hurra!« der Pastor. Und er reihte seine Beute auf dem Frühstückstisch auf.

Über den steinernen Flur hallten Nagelschritte. Und der Pastor schoß mit einem Fluch ins Bett. – ›Zick‹ machte die Falle.

Die Tür wurde aufgerissen: »Der Tenor soll zum Herrn Oberst kommen!«

Ich stieg in die Schaftstiefel, zog Hose und Jacke an, und das Gewehr nahm ich auch gleich mit, und folgte einem Gefreiten. Er sah von hinten aus wie ein wandelndes Faß und hatte gelernt, während des Gehens weiterzuschlafen, weil man ihm sonst keine Zeit dazu ließ. Er führte mich in ein Gebäude mit verchromten Klinken, stieß eine Tür auf und ließ mich vorangehen. In einem Raum von Qualm und Bildern alter und neuer Heerführer lärmten dreißig Offiziere. Sie klatschten, als sie mich sahen, eine Ordonnanz nahm mir, ohne mit der Wimper zu zucken, das Gewehr ab und brachte mir einen Stuhl und ein Glas Kognak.

»Wir–«, sagte der Oberst, »sind nämlich Menschen.« Und trank aus Versehen meinen Kognak aus. »Und nun singen Sie uns mal was vor.«

Ich dachte, jetzt kommen die wieder mit der Gasmaske, aber in den besseren Kreisen des Militärs wurde ohne Gasmaske gesungen.

Am Klavier wartete bereits ein Fähnrich.

»Aber was Zackiges!«

»Oder wenn Se mehr für die klassischen Sachen sind.«

»Jawohl, Mann. Vielleicht die lustige Witwe.«

Mir trat der Schweiß auf die Stirn: »Ich kann nur Männerrollen.«

»Na, dann trinken Sie erst noch eins.« Der Oberst goß neu ein und trank es in Gedanken wieder aus.

Ich durfte mir auch den obersten Knopf aufmachen.

»Prost«, sagte der Oberst, »wir – wir sind nämlich Menschen.«

Inzwischen redeten sie alle wieder durcheinander.

»Waren Sie das«, fragte mich ein pausbackiger Oberleutnant, »der das Badethermometer mitbrachte?«

»Prost«, sagte der Oberst und goß wieder neu ein. Sah mir, als er sein Glas absetzte, plötzlich in die Augen: »Mensch, Sie vertragen aber nen janzen Stiebel!«

Die Ordonnanz öffnete eine neue Flasche.

»Aber Sie haben ja noch nicht gesungen!«

Diesmal war ich es, der das Glas ergriff, und stand auf: »Bitte auf Ihr Wohl trinken zu dürfen, Herr Oberst!«

Alle erhoben sich und tranken auf das Wohl des Herrn Oberst. Ein Major hielt eine Rede, die Stimmung wuchs, die Uhr ging weiter.

»Sie haben ja noch immer nicht gesungen!« erinnerte sich plötzlich der Oberst. »Meine Herren! Bitte mal herhören!« Man sah erwartungsvoll auf mich.

Ich erhob das Glas: »Ich bitte, auf das Wohl des Herrn General trinken zu dürfen.« Denn bestimmt hatten wir einen General.

»Auf den Herrn General!« Und alle standen wieder auf wie ein Mann, hielten die Gläser mit stramm hochgewinkelten Ellenbogen und sahen sich eine Sekunde todernst in die Augen.

Ich wischte mir über die Stirn. Neue Zigaretten qualmten auf, man lachte durcheinander. Der Oberst war in den Stuhl gesunken.

Um Mitternacht saß noch immer der Fähnrich gehorsamst am Klavier: wie das nun sei mit dem Tenor?

»Richtig ja«, rief der Oberst und war wieder ganz wach: »Meine Herren, bitte mal Silentium!«

Ich erhob feierlich mein Glas: »Bitte auf unseren Führer trinken zu dürfen!«

Eine Sekunde Schweigen. – »Wollte ich auch gerade sagen! Also meine Herren – auf unseren – geliebten Führer!«

Danach schüttete ich mir selbst den Schnaps ein und dachte darüber nach, ob es noch einen gibt, der über dem Hitler steht und auf den man anstoßen könnte. Und je mehr ich auf diese Weise nachdachte, um so mehr Selbstvertrauen bekam ich. Und baute mich vor dem Oberst stramm auf: »Herr Oberst, jetzt singe ich eins.«

Der Oberst sah mit schrägen Augen zu mir auf: »Nun machen Sie doch keinen Blödsinn!« Er gab mir einen sanften Stoß in die Magengrube, daß ich auf meinen Stuhl fiel: »Ich – hup – wußte doch die janze Zeit, wat los ist!«

Die Ordonnanz goß ein.

»Prost! Wir – hup – sind nämlich Menschen.«

Das wandelnde Faß brachte mich auf die Stube zurück. In Kleidern und Stiefeln wälzte ich mich auf den Strohsack. Das Gewehr war wieder weg. Ich schloß die Augen. Trillerpfeife in den Gängen. Türen wurden aufgerissen. »Aufstehen!!!«

Ich wurde gesünder. Als ich noch zur Schule ging, hatten meine Eltern mich zu ersten Ärzten gebracht. Ich hatte Tropfen einnehmen müssen, bittere, süße, oder ganz ohne Geschmack; bei jedem Arzt andere. Und ich hatte Spritzen bekommen. Man hatte mir das Radfahren verboten, und meine Eltern hatten dafür Geld bezahlen müssen.

Bei der Wehrmacht sollte ich nun Kraftfahrer werden, weil man dazu nicht so viel Kraft braucht.

Aber was den Herzärzten nie gelungen war, brachte der Oberstabsarzt fertig und heilte mich von allen Leiden mit einer flüchtigen Bewegung seines Stethoskops.

Wäre der Oberstabsarzt nicht gewesen, so hätte ich bald hinter dem Lenkrad eines fleißigen Lastwagens gesessen und Munition an die Front fahren können, oder Schokolade. So aber war ich volltauglich geworden und Infanterist, und die Infanterie rückte ohne mich aus und ließ mich zurück, weil es sich darum handelte, ein Gewehr, eine Gasmaske, zwei Munitionstaschen, eine Zeltplane, einen Spaten, eine Feldflasche, eine Gasplane, einen Brotbeutel, ein Kochgeschirr, einen Tornister mit Wäsche, Mantel, Mütze, Socken, Schuhen, Zeltstöcken und einen Stahlhelm durch die Landschaft zu tragen, die man beim Militär aber nicht Landschaft nennt, sondern Gelände, damit sie nicht so schön ist. Also ließ man mich als Schwächling in der Kaserne, und ich durfte Wolldecken zählen, oder Butterpäckchen in elf gleiche Teile schneiden, oder mit einem nassen Handtuch in der Stube des Hauptfeldwebels die Fliegen töten.

Nach einem halben Jahr wurde ich Obersoldat, denn es fehlte an Führern. Und wenn ich irgendwo im Wege stand, und einer, der noch nicht Obersoldat war, an mir vorbei wollte, dann knallte er die Hacken zusammen und sagte: »Bitte vorbeitreten zu dürfen, Herr Obersoldat!« – Dann ließ ich ihn vorbei.

Dänemark hat 3550651 Einwohner. Nach uns mögen es etwas mehr gewesen sein. Und jeder Fünfte lebt in Kopenhagen. Der Rest wohnt in fünfhundert Meter langen Städten, die wie Vororte aussehen. Das Gelände ist flach und besteht aus Drahtzäunen, die elektrisch geladen sind. Aber die Kühe wissen das. Die dänischen Mädchen leben von Kuchen. Wenn sie wohlhabend sind und mündig, erhalten sie ein Gebiß und werden damit heiratsfähig. Wegen der vielen Gebisse gibt es so viele Zahnärzte, und wegen der vielen Zahnärzte gibt es noch mehr Gebisse.

Ich saß auf dem Bettrand und ließ die Knie auseinanderhängen und rauchte meine Pfeife und dachte: zu Hause würdest du nicht so sitzen. – Mein Bett stand im Keller einer ausgeräumten dänischen Schule, und durch die Gitterfenster liefen Telefonkabel aus allen Himmelsrichtungen zusammen bis in einen Klappenschrank mit bunten Schnüren und blanken Steckern. – »Vermittlung Ølbjerg – – Kolding, ich rufe – – Teilnehmer melden Sie sich – – Sprechen Sie noch, sprechen Sie noch? – – Ich trenne – – Vermittlung Ølbjerg – – Tarm, ich rufe.«

Und wir steckten Stöpsel hinein und zogen sie wieder heraus. Und lösten uns einander ab: Der Amtsrichter aus dem Harz mit den unanständigen Witzen, der siebzehnjährige Kommunist aus

Tegel mit den glänzenden Augen, der evangelische Pastor aus Mecklenburg mit den kräftigen Flüchen und ein deutscher Kellner aus Polen, der stolz auf die deutsche Wehrmacht war und doch lieber polnischer Kellner geblieben wäre.

Jede Woche tauschten wir unsere Socken auf der Kleiderkammer, und alle vier Wochen unsere Bettlaken. Manchmal holte man uns in den Hinterhof, wir mußten die Füße hochheben, und es wurde nachgesehen, ob wir noch alle Nägel unter den Schuhen hätten. Wir rasierten uns oder staubten die Apparaturen ab. Aus der Heimat hatten wir uns schöngeistige Literatur schicken lassen; nun lagen die Bücher noch immer auf dem Tisch und wurden von einer Seite auf die andere geschoben und manchmal auch mit abgestaubt.

Jeden Abend um sieben meldete der Ib-Unteroffizier telefonisch den Bestand an Kraftfahrzeugen, Schuhen, Kranken und Gesunden. – Jeden Abend um neun rief ein Hauptmann seine Frau in der Heimat an und vertat sich mit dem Vornamen. – Und unter das Bett des deutschen Kellners aus Polen hatten wir drehbare Holzscheiben genagelt, und jeden Abend um zehn fuhren wir das Rollbett vor den Klappenschrank, taten den Kellner hinein und den Hörer dazu, verbanden den Klappenmechanismus mit einer elektrischen Türklingel und begaben uns zur Ruhe.

Ich saß noch immer auf der Bettkante, und die Pfeife war ausgebrannt. Über mir hörte ich das asthmatische Atmen des kleinen Kommunisten. Auf der anderen Seite schnarchte der Pastor; er hatte es inzwischen auf fünf Kinder gebracht; aber die Engländer waren in der Normandie gelandet, und um wieder nach Hause zu kommen, verlangte eine neue Verordnung statt fünf Kinder sieben. Und das Schnarchen des Pastors klang wie unaufhaltsames Fluchen. Und der Urlaub war gesperrt.

Nur der Amtsrichter schlief noch nicht: »Meinst du, daß die auch woanders landen?«

»Bestimmt!« sagte ich, ohne daran zu glauben, nur froh, daß noch einer wach war.

Der deutsche Kellner aus Polen drehte sich knurrend im Rollbett: »Ihrr solltet schämen! In Frankreich die Engländer sind gegangen in Falle und jetzt sie werden geschossen kaput.« Und schlief wieder, ruhig und gesund; nachmittags hatte er einem Schulungsvortrag beigewohnt.

»Immerhin!« sagte der Amtsrichter und setzte sich im Bett die Brille auf und guckte über die Wolldecken.

Eine Klappe fiel sirrend; die elektrische Türklingel setzte ein.

»Vermittlung Ølbjerg!« brüllte der Kellner im Schlaf, »Vejle ich rufe!« – Das klang zackig und machte den Eindruck einer hellwachen Vermittlung. Ich erhob mich und brachte die Klingel zur Ruhe und gähnte. Der Kellner schlief weiter. Ich nahm den Hörer: »Vejle noch nicht gemeldet, ich rufe noch einmal!« – Das klang auch wieder gut. Ich stellte die Verbindung her. Und Vermittlung Vejle hatte keinen Kellner im Rollbett, der im Schlaf ganze Sätze wiederholte, sondern Vermittlung Vejle saß vorschriftsmäßig die ganze Nacht am Klappenschrank und meldete sich müde und machte nicht den guten Eindruck.

»Sprechen Sie noch sprechen Sie noch?« Ich trennte und wollte wieder zu meiner Bettkante. Eine zweite Klappe fiel, zugleich eine dritte. Ich stöpselte im Stehen. Klappe 7 fiel. Und Klappe 15.

Klappe 2. Klappe 9.

Klappe 21. – Der Pastor verschluckte sich im Schnarchen.

– Grünes Leuchtsignal westlich von Varde.

– Verstärkte Postenaufmerksamkeit.

– Blinklichter südwestlich von Ølgod.

Auch der kleine Kommunist war wach und hatte die großen fiebrigen Augen.

– Fliegergeräusch über Skovelund.

Alarmstufe eins!

Die Klappen schnarrten und fielen.

Weitere Bataillone lösten Alarmstufe eins aus. Im Bethaus jenseits der Straße ging die Trillerpfeife, und Stiefel wurden lebhaft.

Der Amtsrichter tat die Beine mit den Unterhosen aus dem Bett. Ein Motorrad knatterte vor das Kellerfenster, fünf Minuten hämmerte die Maschine im Leerlauf, dann brüllte sie davon.

Jemand hatte das vergitterte Deckenlicht angeknipst. Der Pastor angelte unter dem Bett nach seinen Stiefeln, wünschte sie zur Hölle und wollte sie gleichzeitig anziehen. Die Tür wurde aufgestoßen. Der Waffenunteroffizier warf fünf Ladestreifen mit je fünf Gewehrpatronen auf den Tisch, und für jeden von uns eine dicke blaue Kugel mit einem Loch auf der einen Seite, in dem offensichtlich etwas fehlte. »Macht's gut, Jungs!« – Tür zu.

Wir hatten keine Gewehre und bauten die Patronen nebeneinander auf dem Klappenschrank auf, wo sie gefährlich aussahen. Die blauen Kugeln wollten vom Tisch rollen, wie immer man sie legte; wir stopften sie in die Hosentaschen, da drückten sie auf den Blinddarm und wollten nicht wieder heraus.

– Alarmstufe zwei!

Der alte Sanitätsfeldwebel schnaufte in den Raum und versorgte uns zum letzten Male: der kleine Kommunist erhielt eine Asthmaspritze in die Brust, weil es regnete, der Amtsrichter Brillensalbe, damit die Brille nicht beschlägt, der Pastor eine Bescheinigung für Weißbrot, die er alle vier Wochen bekam wegen seiner Magengeschwüre, und ich – als Truppführer der Vermittlung – ein Stärkungsmittel für mein Herz. Nur der Kellner ging leer aus und fühlte sich von der Wehrmacht gekränkt; ich tröstete ihn mit einer Schachtel kaum gebrauchter Oropax aus meiner Privatschatulle.

Küstenwache an Divisionsstab: noch keine direkte Feindberührung! –

Ich stieg auf einen Stuhl und sah zum Kellerfenster hinaus: der gesamte Bataillonsstab, hoch und nieder, schob den Holzgasküchenwagen an. Und danach den Holzgasmunitionswagen. Und nun knüpften sie lange Taue an die Wagen, kletterten auf Fahrräder und klemmten die Taue unter die Achseln. Holzgasküchenwagen und Holzgasmunitionswagen hupten dreimal und ruckten an. Der Bataillonsstab einer motorisierten Einheit zog in den Bereitstellungsraum der dänischen Küste. Und hinterher hoppelte das Tempodreirad der Schreibstube mit den Schreibmaschinen und unseren Gesundheitsblättern. Denn der Führer hatte jede Möglichkeit einkalkuliert.

Nun sind sie alle fort, dachte ich. Aber noch einmal öffnete sich die Tür. Der Bataillonsadjutant reichte mir schweigend ein versiegeltes Kuvert: ›Geheime Kommandosache‹. Ich nahm Haltung an und grüßte ernst.

Befehle in Kuverts hatte ich bei Kriegsausbruch kennengelernt. Aber nun war ich es, der solch ein wichtiges Kuvert erhielt, und Befehlsgewalt über vier Mann. Ich setzte den Stahlhelm auf den Kopf und schnallte um:

»Ein Mann fertigmachen und zur Sicherung als Posten vor das Kellerfenster!«

Sie sahen mich sprachlos an. Der Amtsrichter putzte seine Brille.

»Jakki«, sagte der Kellner und hob mir sanft den Stahlhelm vom Kopf, »ich dir mache einen Kaffee!«

Die Klappen ruhten. Zuweilen kamen Schritte am Kellerfenster vorbei. Das waren Dänen. Ich entsann mich des Kuverts und öffnete es mit dem Schraubenzieher:

›Die Vermittlung Veilchenstrauß (so also hießen wir nun) ist als Zentralvermittlung im Raum 16 unabhängig von der taktischen Lage mit allen Mitteln zu halten.‹

Der kleine Kommunist prüfte die Leitungen: »Durchgeschnitten!« stellte er fest.

Befehl ist Befehl. Der Kaffee war fertig.

Es klopfte.

Im dunklen Gang standen fünf Dänen, an der Spitze Erik.

»Guten Morgen«, sagte Erik und war sehr verlegen.

»Kommt herein!«

Nun standen sie im Vermittlungsraum und wollten sich nicht setzen, und Erik fuhr sich unentwegt mit den Fingern durch das ondulierte Haar.

»Unsere Alliierten sind gelandet!« räusperte er sich schließlich.

»Und nun müßt ihr weg«, sagte ein anderer Däne.

»Das bleibt noch abzuwarten!« entgegnete ich, so kühl ich konnte.

»Ach!« Erik griff in die Hosentasche, »hier ist auch deine Pfeife; du hast sie vorgestern bei mir liegen lassen.« – Es war die Pfeife mit dem hohen Kopf, die ich immer beim Schachspielen rauchte.

»Und nun müßt ihr weg!« wiederholte der andere Däne.

Der Kellner sah böse auf: »Und wo ist Butter? Ich dirr habe gegeben drei Kronen für Butter!«

Der andere Däne zahlte an den Kellner die drei Kronen zurück.

Ist nun alles erledigt? – Die Dänen stellten sich uns gegenüber auf, und zwei von ihnen hielten deutsche Karabiner in den Händen.

Erik machte eine höfliche Verbeugung: »Wir fordern euch auf, die Telefonzentrale zu übergeben!«

»Tut mir leid, meine Herren, ich habe Befehl, die Vermittlung zu halten.«

»Und wir«, sagte Erik entschuldigend, »haben Befehl, die Telefonzentrale zu besetzen.«

»Euer Befehl ist Unsinn!« Ich lächelte fest. »Was wollt ihr eine Vermittlung besetzen, deren Leitungen durchgeschnitten sind?«

»Euer Befehl«, Erik lächelte mit seinem Doppelkinn zurück, »ist noch größerer Unsinn! Was wollt ihr eine Vermittlung verteidigen, die keine Anschlüsse mehr hat?«

»Jä-jä!« pflichteten die anderen Dänen bei.

»Befehl ist Befehl!« – Hätte ich doch meinen Stahlhelm auf!

»Das sagen wir auch!« sagten die Dänen, »Befehl ist Befehl!«

»Na also!«

»Na also!«

Und standen uns noch immer gegenüber. Erik sah die blauen Kugeln: »An eueren Eierhandgranaten fehlen die Zünder!«

Das also war es, was in den Löchern fehlte! – »Und ich will nicht davon reden, was euch fehlt!« höhnte ich, um mir nichts anmerken zu lassen.

Erik sah mich verwundert an: »Nun dann nehmen wir einfach euere Patronen!« Und er sah zum Klappenschrank hin, wo die Ladestreifen aufgebaut standen.

Das also war es, was den Dänen fehlte! – Und beide Parteien waren unbewaffnet. Und wenn es zu einem Faustkampf kommt, dachte ich, verlieren wir mit Bestimmtheit. Und sah die wohlgenährten Dänen der Widerstandsbewegung. Und ein Kampf mit Waffen wäre mir vielleicht lieber gewesen, denn da ist es doch mehr Glückssache, wer getroffen wird.

»Wollen wir tauschen?« fragte Erik, »wir geben euch Zünder, und ihr gebt uns dafür euere Patronen.« Und holte aus der anderen Hosentasche eine Handvoll deutscher Zünder.

Sie paßten in die Gewinde unserer Eierhandgranaten.

Dann standen wir uns wieder gegenüber.

»Nun übergebt die Vermittlung!« Sie entsicherten ihre beiden Karabiner.

»Macht, daß ihr hinauskommt!« Wir hatten die Finger an den Zündern.

»Wenn ihr abzieht«, Erik zwinkerte nervös mit den Augen, »geht ihr mit in die Luft!«

»Ihr aber auch!«

Wir hätten doch lieber nicht tauschen sollen! – Bleiernes Morgenlicht drang in den Keller.

»Lenin«, sagte unvermittelt der kleine Kommunist, »Lenin hat sich im ersten Band gegen die Anwendung roher Gewalt ausgesprochen. Waffen sind die atavistischen Machtmittel des Kapitalismus. An ihre Stelle setzt Lenin die Eroberung vermittels geistiger Durchdringung.«

»Ah gut!« rief der Kellner, »nix Gewalt, Lenin, dann wir tun würrfeln!«

Zum Würfeln war die Sache zu ernst; es ging um unsere Vermittlung. Und auch Lenin hat nicht um Rußland gewürfelt. Er habe gekämpft, sagte der kleine Kommunist.

»Jä-jä!« riefen die Dänen.

»Spielen wir Schach!« schlug ich vor.

Wir warfen die Eierhandgranaten vorsichtig auf die Betten; die Dänen lehnten die zwei Karabiner an die Wand. Erik und ich setzten uns gegenüber an den Tisch. Der Kellner wärmte den Kaffee auf und tat noch etwas dazu.

Ich bekam Weiß und eröffnete mit dem Königsbauern, ganz vorsichtig, denn vielleicht ist das doch nicht der beste Zug.

Auch Erik zog den Königsbauern.

Meine Stärke lag in der Eröffnung. Seine Stärke im zähen Endspiel. Ich bereitete einen schnellen Angriff vor. Aber jeden Zug, den ich tat, beantwortete er mit dem gleichen Zug. Das Spiel wurde symmetrisch; man konnte es ad adsurdum führen. Aber ich war um einen Zug voraus. Und er lauerte auf meinen ersten Fehler. Ich verzichtete auf den Angriff und spielte auf Stellung.

Auch er spielte auf Stellung.

Zwei Bauern wurden abgetauscht. – Ob an der Küste schon einer meiner Kameraden gefallen ist?

Ich war am Zuge. Jeder weitere Zug würde meine Stellung verschlechtern. Warum hörte man nicht die Geschütze? Die Sonne war aufgegangen; auf der Straße blieb es gefährlich still.

Ich opferte einen Läufer und riß damit Eriks Flanke auf. Erik sah mich eine Sekunde feindselig an. Seine Dänen und meine Kameraden hatten sich auf die Betten gelegt und die Eierhandgranaten auf die Seite gerollt; die Dänen vertrauten auf Erik, meine Kameraden auf mich.

»Gardez!« – Ich gewann Tempo. Erik saß unbeweglich. Sicher würde ich bald einen Fehler machen. Warum spielten wir überhaupt? Beide hatten wir unsere Befehle ausgeführt: er hatte die Vermittlung besetzt, und ich hielt sie.

»Schach!« sagte Erik.

Da war mein Fehler! Zwei Züge zu früh. Ich klemmte einen Springer dazwischen.

»Schach!« sagte Erik.

Ich wanderte mit meinem König. Zwei Züge hätte ich weiter sein müssen!

»Schach!« sagte Erik.

Es gab nur noch ein Feld für den König. Erik holte Verstärkung heran. Wir zogen hastig.

»Schach-matt!!« sagte ich. Erhob mich und trank meinen kaltgewordenen Kaffee. Die Dänen kletterten bestürzt von den Betten.

In diesem Augenblick brummten Lastwagen in die Straßen. Deutsche Kommandos. Schaftstiefel vor dem Kellerfenster.

Ich hielt Erik in der Tür zurück: »In – sechzig Minuten möchte ich wieder meine Verbindung haben. Sag das den betreffenden Leuten!«

Zwanzig Minuten später trat der Bataillonsadjutant ein. Ich riß die Hacken zusammen: »Vermittlung Veilchenstrauß mit allen Mitteln gehalten – zwei Karabiner erbeutet – Leitungen – öh – in vierzig Minuten intakt.«

Der Adjutant sah sich schweigend im Raum um. Auf dem Tisch stand noch das Schachbrett. Auf einem der Betten erblickte ich eine blau-weiß-rote Kokarde aus Papier. Der Amtsrichter saß am Klappenschrank und erhielt die erste Verbindung. Der Adjutant trat an den Tisch und beugte sich über das Brett. Dann sah er mir in die Augen. Ich preßte die Hacken zusammen. Lächelte er?

Nach dem Verpflegungsempfang legte ich mich ins Bett. Aber ich fand lange keinen Schlaf nach all diesen Aufregungen. Ein Feldwebel nämlich war mit einem dänischen Mädchen im Mondenschein spazieren gegangen, westlich von Varde. Das Mädchen hatte mit seiner Signalpistole gespielt. Verstärkte Postenaufmerksamkeit. Dänen waren aus dem Kino gekommen, südöstlich von Ølgod, und hatten ihre Taschenlampen angeknipst. Alarmstufe eins. Und kein Bataillon hatte hinter dem anderen zurückstehen wollen. Vermittlung Ølbjerg, rief der kleine Kommunist in den Hörer. – Skovelund, ich rufe. – Vermittlung Ølbjerg. Meine Gedanken begannen zu kreisen. Springer g 1 nach f 3. – –

Am nächsten Morgen wurde ich wach, weil der Pastor am Klappenschrank: »Jawohl, Herr Oberleutnant!« rief, »Jawohl, Herr Oberleutnant! – Jawohl, Herr Oberleutnant! – Der Gefreite Tast soll sofort zum Herrn Oberstabsarzt kommen!«

Was mochte der Arzt von mir wollen? Wo ich doch längst kavau war! – Ich wusch mir den Hals und ging zum Revier.

In der Mitte des Untersuchungszimmers saß auf einem Stuhl der Herr Oberst. Auf der Fensterbank lehnte der Adjutant. Im weißen Kittel in Reitstiefeln stand der Arzt.

»Rühren Sie!« sagte freundlich der Oberst, »man hat Sie vorgeschlagen als Reserveoffiziersbewerber.«

Ein Scherz konnte es nicht sein, dazu war der Herr Oberst zu dumm. Oder wollten sie mich auf meinen Geisteszustand untersuchen? Als Offizier hat man ein Zimmer für sich, ein Auto und einen, der die Stiefel putzt. Und sonntags darf man Halbschuhe tragen.

»Bitte bemerken zu dürfen, Herr Oberst, ich bin kein guter Soldat!«

»Vielleicht sind Sie dafür ein um so besserer Offizier?« sagte ernst der Adjutant; ich hätte endlich gern gewußt, ob es wirklich so ernst war.

»Sie haben Ihre Vermittlung mustergültig geführt!« Der Herr Oberst stand auf. »Und gestern war es die einzige Vermittlung, die mittags schon wieder intakt war!«

»Jawohl, Herr Oberst!«

»Wir wollen Sie nicht zwingen«, bemerkte der Adjutant.

»Nein, Herr Oberleutnant!«

»Was heißt nein?«

»Bitte Reserveoffiziersbewerber werden zu dürfen!«

Ich mußte die Jacke ausziehen. Der Oberstabsarzt bohrte die Schläuche des Stethoskops in seine Ohren. Ich würde gut zu meinen Leuten sein. Allerdings auch etwas von ihnen verlangen. Und was würde wohl Marion sagen?

»Bitte bemerken zu dürfen, Herr Oberstabsarzt, ich bin längst kavau!«

»Ob Sie kavau sind, entscheide ich!«

»Jawohl, Herr Oberstabsarzt.«

Er hörte mein Herz ab.

»Bitte bemerken zu dürfen, mein Herz ist nur etwas nervös, aber sonst kerngesund!«

»Sind Sie der Arzt oder ich?«

Ich mußte zehn Kniebeugen machen. Ich stand wieder gerade und rang nach Luft: »Bitte bemerken zu dürfen, das ist nur die mangelnde Übung.«

Der Oberstabsarzt riß sich die Schläuche aus den Ohren: »Ich gebe Ihnen hiermit den ausdrücklichen Befehl, sich Ihrer Meinung zu enthalten!«

Ich hatte doch nur gesagt, was er selbst mir vor einem Jahr gesagt hatte. Aber er hatte mich damals schon nicht leiden können und mich kavau gemacht, als ich äußerte, nur gevauha zu sein.

Ich durfte mich wieder anziehen. Der Oberstabsarzt schrieb triumphierend etwas in meine Papiere. Die beiden Offiziere sahen mit hinein: ›L 1^2 – Z 49 – nach AHM 4.44. wu. Der Gefreite Jakob van Tast ist aus der Wehrmacht zu entlassen.‹

Der Herr Oberst schüttelte traurig den Kopf.

Und der Adjutant – lächelte wirklich.

»Haben Sie sonst noch einen Wunsch, Herr van Tast?« Die Zeichnerin beugte sich über meine Schulter und legte zwei Normblätter auf den Schreibtisch. Ihr kleines Gesicht sah aus dem Rollkragen eines rauhen Sweaters, und darunter bauschten sich Hosen mit beuligen Knien. Und sie hatte Ränder unter den Augen, wie alle Mädchen 1944, und ihre Haare rochen nach Schutt und verkohltem Holz.

»Nein, vielen Dank!«

Ich suchte in den Spalten des Normblattes, und meine Augen fielen auf meine Manschetten. Sie waren nicht mehr blütenweiß, aber weich und meine eigenen, und die Manschettenknöpfe hatte mir meine Mutter geschenkt. Und hier gab es keinen Feldwebel und kein ›Achtung!!‹ und keinen Appell auf sauberes Kochgeschirr. Ich streckte die Beine aus. Und ob ich lange oder kurze Unterhosen trug, war meine Sache. Und es gab kein ›Fertigmachen!‹.

In diesem Augenblick heulte es auf vom jenseitigen Dach, und von dort und von drüben, von überall und mengte sich zum schauerlichen Chor der Sirenen. – Hinter den Zeichenbrettern klapperte es. Die Mädchen packten zusammen. Die Herren zogen die Reißnägel aus den Brettern und rollten die Zeichnungen ein. Jemand trug mit kurzen Schritten eine Schreibmaschine vorbei. Die Sirenen heulten noch immer. Ich setzte mich wieder. Ob ich aufstehe oder nicht, ist auch meine Sache!

Das Heulen sank ab. Es war still. Ich wanderte zwischen den verlassenen Zeichentischen. Draußen schien die Sonne auf zertrümmerte Häuser. Was ist aus den Leuten geworden? Vielleicht ist es doch besser, man geht in den Bunker.

Meine Schritte klangen hell auf dem Trottoir. Unbewußt ging ich schneller. Auf den Schienen stand eine Straßenbahn, und nichts regte sich. Ich lief und schien nur langsam weiterzukommen.

Und dann kam von oben und weit, erst kaum vernehmbar, und dann immer deutlicher, ein vielstimmiges Brummen, und kam und kam stetig und langsam näher und wurde lauter, drohend und unentrinnbar. Ich stieß die nächstliegende Haustür auf, rammte einen alten Mann mit blauem Helm, der tonlos an mir vorbeisah, und stieg die Kellertreppe hinab.

Unten standen etwa zwanzig Menschen beisammen. Unter der Decke brannte eine schmutzige Birne. Aus einem Volksempfänger sagte ein Mädchen mit unbewegter Stimme die Luftlage an: Dora Friedrich drei – fünfhundert ka-em-ha – Richtung oostnordoost – müo Berlin. Nun hörte man das Brummen auch hier. Dann den ersten Bombeneinschlag, noch fern. Ich drückte mich zwischen Gerümpel, das hinter Betonpfeilern lag; lieber dreckig als tot, dachte ich, denn man kann nie wissen, ob die Decke hält! Nächster Einschlag schon näher. Einschlag; das Licht erlosch. Einschlag; der Boden vibrierte. Einschlag; die Wände schütterten. Einschlag; eine Frau schrie kurz auf. Einschlag! Boden und Wände schaukelten. Es krachte! Stille. Es knirschte. Rieselte. Dann brach es über uns zusammen. Etwas drückte mich roh an die Wand. Van Tast soll mal zum lieben Gott kommen? – Das Poltern hielt an – hörte auf. Etwas rutschte noch nach. Ich würgte nach Luft.

Als ich wieder zu mir kam, knipste ich die Taschenlampe an; der Schein zerstreute sich im wogenden Staub. Ich tastete zum Raum hin, wo die Menschen gewesen waren, und griff nur in Steine und eiserne Stäbe. Erkannte vor mir die verbogene Stahltür und klemmte mich durch den oberen Spalt in die Welt zurück. – Einschlag. Rannte die Kellertreppe hinauf. Einschlag näher. Hetzte über die Straße. Es brauste, ich warf mich in einen Krater, aus dem ein geborstenes Wasserrohr spie.

Später fand ich mich durch die Straßen geschoben in einem Strom von stummen Menschen mit Köfferchen oder Plümos. Rechts und links brannten die Häuser, ruhig, unaufhaltsam und heiß. Und da stand auch noch die Straßenbahn, aber quer über den Fahrdamm, mit zersplitterten Fenstern; und vorn im schiefgedrückten Führerstand spielte ein verlorenes Mädelchen und trat selig auf die Fußklingel: klängläng – klängläng!

Als die Sonne blaßrot über der rauchenden Stadt unterging, hüpfte ich mit anderen von Schwelle zu Schwelle der Stadtbahngleise und tat manchmal einen Blick von einem der Viadukte hinab in die Straßen. Neben mir hüpfte ein altes Weiblein; ihr Kopftuch war angesengt, und in den Händen trug sie einen Brotkorb mit zersplittertem Holz. – »Warum trägst du das Holz?« fragte ich sie; alle sagten du zueinander. – »Weeß ick, wo'ck heute hinjerate? Und is keen Ofen da, ha'ck Pech, und is eener da, ha'ck det Holz!«

Irgendwo fuhr wieder die Stadtbahn. Keiner wußte, wie weit und wohin, aber wir alle quetschten uns durch die Türen, denn eine Bahn darf man nicht fahren lassen und man muß nur sehen, daß man weiterkommt. Weil sie noch immer nicht abfuhr, drängten noch mehr nach, und wir wurden zusammengepreßt wie Luft in einer Fahrradluftpumpe, und es wurde ebenso heiß. Ich wurde gegen etwas Weiches gedrückt. Augen mit getuschten Wimpern sahen zu mir auf und volle Lippen öffneten sich und lachten mit feuchten Zähnen, und ein Duft von Soir de Paris hauchte mich an. Da wurde ich fröhlich und stark, zog meine Arme aus dem Gedränge und schlang sie um ihren Hals und küßte sie. Die Stadtbahn fuhr nur eine Station. Wir kletterten durch das zertrümmerte Fenster ins Freie.

Ihr Haus stand noch. Während ich die Fenster mit Zeitungen verklebte, kochte sie einen Wasserkakao. Die Tapeten hatten Risse. Ein ausgeräumter Bücherschrank gähnte mich an. Sie warf sich lachend auf die Couch. In der Nähe rangierten Züge, man hörte das Pfeifen und dann das Klirren der aufeinanderprallenden Waggons und das Seufzen der Bremsschuhe.

Es war dunkel geworden. Ich verbrannte mich an ihrer Zigarette. – »Sind wir nicht leichtsinnig?« fragte ich. Sie pustete hörbar den Rauch aus: »Wir wissen sowieso nicht, was in neun Monaten ist!«

»Dann ist der Krieg aus«, sagte ich.

»Das ist nicht wahr!« – ich fühlte, wie sie sich jäh aufsetzte – »Wir haben noch eine Waffe!«

Ich schwieg vorsichtig.

»Sie brauchen gar nicht so ironisch zu sein!«

»Ich bin nicht ironisch!« Ich setzte die Füße auf den Boden.

»Und wir gewinnen den Krieg!«

»Natürlich.«

»Natürlich!« äffte sie nach. »Denn wer sollte uns sonst die Häuser aufbauen?!«

»Wir wollen jetzt nicht von Politik reden!« Ich tastete nach ihrem Handgelenk und geriet an ihre Knie und wollte sie streicheln. Sie rutschte weiter zurück: »Wer sind Sie überhaupt? Was fällt Ihnen ein? Wie heißen Sie? Ich kenne Sie ja nicht einmal!«

Ich suchte im Dunkeln meine Sachen zusammen.

Da heulten wieder die Sirenen. Der Abendangriff; es mußte acht Uhr sein.

Sie blieb auf der Couch, und die Sirenen heulten weiter. Ich kämmte mir das Haar aus der Stirn. Dann sank der Sirenenton wieder herab, und es war wieder jene böse Stille. Ich stand noch immer im Zimmer. Nun hörte ich ihre bloßen Füße auf dem Boden; sie öffnete das zugeklebte Fenster, und ich sah ihre Schultern undeutlich gegen den Nachthimmel. – »Sie erkälten sich!« räusperte ich mich und berührte sie und hätte sie gern gefragt, ob wir nicht in einen Bunker gingen.

Das Brummen blieb in der Ferne. Über dem Norden der Stadt entfalteten sich drei Lichtpyramiden und schwebten funkelnd unter den Wolken. – »Das sind die Christbäume!« sagte das Mädchen und hüstelte, »da werfen sie ab!« – Geschützsalven wummerten; man hatte am Nachmittag Flak herangezogen. Am Himmel leuchtete etwas rot auf, zog eine lange gekrümmte Bahn, entflammte zur Fackel und ging hinter den Häusern nieder. – »Bravo!« zischte das Mädchen. – Die weißen Finger der Flakscheinwerfer zuckten neu zum Himmel empor, glitten an den Wolken ab, trafen sich und ein weißer Punkt blinkte auf, floh wie ein Vogel und wand sich verzweifelt aus dem gleißenden Griff, aber die Finger eilten ihm nach und neue Finger griffen nach ihm. Immer näher blitzten die Geschosse; in seiner Angst stürzte sich der weiße Vogel zur Erde herab und bunte Feuergarben der Leuchtspurmunition wuchsen ihm von unten entgegen. Eine jähe, letzte Kurve flog die Maschine, die Scheinwerfer stutzten, schwenkten hastig und fanden sie nicht wieder. – »Gott sei Dank!« stöhnte das Mädchen, das eben noch Bravo! gerufen hatte, schluchzte und umschlang mich.

Ich knöpfte meinen Mantel um sie. Im Zimmer wurde es hell; über uns hing prächtig und drohend ein Christbaum. – »Wollen wir nicht doch lieber –«

Sie unterbrach mich: »Können Sie eigentlich beten?«

»Doch!« gestand ich.

»Sagen Sie mal das Vaterunser vor!«

Die erste Bombe rauschte herab. Ich sagte ihr langsam das Vaterunser vor, das Haus stampfte, und sie wiederholte Satz für Satz, wie ein Kind. Und danach fand ich in meiner Manteltasche ein zerdrücktes Butterbrot, wir teilten es uns und aßen es auf.

Als ich am nächsten Abend nach Hause kam, waren meine Nachbarn sehr überrascht, sie hatten nicht mehr mit mir gerechnet und sich bereits mein Radio geliehen und meine restliche Cervelatwurst. Und in der Tür klemmte eine Postkarte mit Adler und Hakenkreuz. Sie war aber nur vom Luftschutz.

Eigentlich wollte ich ein bißchen schlafen, oder die Fensterrahmen zum Glaser bringen, aber vor dem Hakenkreuz hatte ich Respekt. Ich setzte mir wieder den Hut auf und kam etwas zu spät in die Gastwirtschaft »Zur deutschen Eiche«, wo Erwachsene reihenweise auf Bänken saßen und froren und einem ungepflegten Mann mit Parteiabzeichen zuhörten.

Hinter mir kamen noch andere. Es ärgerte mich, daß man nicht unsere Namen aufschrieb; ich hätte gar nicht zu erscheinen brauchen, und es hätte auch keiner bemerkt. Der Redner fuhr indessen fort:

»Es hat sich also jezeicht, det bei den Luftanjriffen unsara Feinde, dadurch det sie Brandbomben uff die Volksjenossen abwerfen, Brände verursachen und dabei wertvollet Volksvamöjen vanichten.«

Das mußten die Zuhörer auch zugeben, und einige Frauen nickten eifrig und sagten: »Ja, das ist richtig!«

Der Redner fuhr fort:

»Dieset is jedoch nich in mangelnde Abwehr von seiten die Luftwaffe zurückzuführen, sondern auf Fehla von seiten die Zivilbevölkerung betreffend Brandbekämpfung.«

»Dabei ist das doch so wichtig!« rief ein junges Mädchen aus dem Zuschauerraum.

»Janz richtig, die Dame!« sagte der Redner, »vielleicht können Sie mal aufstehen, die Dame, und det noch einmal laut wiedaholen!«

Das Mädchen stand auf und wiederholte laut und durfte sich wieder setzen und machte ein Gesicht, als wenn sie eine Eins bekommen hätte.

Der Redner fuhr fort:

»Wenn nu also die Brandbombe int Zimma liecht, fängt se an zu brennen und entwickelt Temperaturen, bei die sich die Jejenstände im Zimma entzünden.

Es wäre nu, Volksjenossen und Volksjenossinnen, jrundfalsch, einfach mit die Luftschutzspritze auf die Bombe loszujehen. Der Feind, der imma auf neue Jemeinheiten sinnt, weil er weiß, det er diesen Kriech, den die Juden anjezettelt haben, valieren muß, schmeißt nunmehr Brandbomben, die im Zimmer explodieren und die Volksjenossen, die bei die Löscharbeiten sind, valetzen oder verunstalten.

Man kann det diese Brandbomben aba ansehen, weil sie einen roten Streifen trahren! Dieset is ein wesentliches Merkmal!«

Der Redner nahm vom Tisch eine Stabbrandbombe mit einem roten Streifen und ließ sie durch die Volksgenossen wandern.

»Es jibt aba auch Brandbomben, die einen roten Streif trahren un doch nich explodieren. Dies is ooch wieda so eine typische Jemeinheit unsara Jejner.«

»Pfui!« rief das Mädchen von eben.

»Janz recht, die Dame. Und nu kommt es darauf an, die Brandbombe zu löschen, damit unsa Volksvamöjen nich vanichtet wird. Natürlich können dabei nich imma Opfer von Menschenleben vamieden werden.«

Ich dachte ein wenig an die Opfer, die nicht vermieden werden können, und an mein Zimmer mit Volksvermögen.

»Wenn nu also eine Brandbombe im Zimma liecht, denn nähern wir uns und nehmen hinta einem Mauervorsprung Dekkung. Um aba zu vameiden, det die Brandbombe unsa Haus in Brand setzt, müssen wir uns weiter nähern. Weil aber die Brandbomben explodieren, müssen wir uns vor Splitter schützen. Wir bewerkstelligen dieset, indem wir üba den Fußboden kriechen und uns mit einem Schild davor bewahren.«

Der Redner hob vom Boden einen runden, hölzernen Schild, stemmte ihn hoch und zeigte ihn den Volksgenossen. Die Volksgenossen sahen voll Bewunderung auf den Schild.

Der Redner ließ den Schild wieder auf den Boden nieder und fuhr nach dieser Anstrengung fort:

»Wir wenden uns also an den Schreiner betreffs Anfertijung von solchet Schild. Wenn der Schreina aber keine Zeit zur Verfügung haben sollte für zivile Arbeiten, können wir uns det Schild auch selber machen. Wie machen wir det? Wir machen det, indem wir uns einen anderen, runden Jejenstand nehmen. Zum Beispiel können wir da nehmen den Deckel von unsara Waschmaschine, denn haben wir auch jleich den Jriff in der Mitte.«

»Bei meiner Waschmaschine ist aber ein Motor drauf!« verzweifelte eine Dame mit Schleier.

»Den Motor«, sagte der Redner, »den Motor können Se natürlich abmontieren, wenn Se den Deckel benötijen.«

»Ich besitze aber keine Waschmaschine!« sagte leise ein älterer Herr mit Gelehrtenkopf.

»Kann er da nicht den Boden vom Waschzuber nehmen?« rief eine Frau.

»Jawohl, den Boden vom Waschzuba können Se auch nehmen!«

»Kann man auch den Deckel vom Wäschekessel nehmen?« fragte das Mädchen von eben. Die Frauen waren ganz lebhaft geworden, es hagelte Vorschläge.

Der Redner freute sich.

»Jawoll, allet können Se nehmen, die Damen, wenn et nur rund is!«

»Kann man auch die Klosettbrille nehmen?« fragte ich.

»Jawolljawoll – oda vielmehr, also – warum können Se die Klosettbrille nich nehmen?«

»Weil man die doch braucht«, rief die Dame mit Schleier.

»Weil man in der Mitte keinen Griff dranmachen kann!« rief ein älterer Sanitätsrat, der es wissen mußte.

»Jawoll, weil se nämlich auch ja keine Mitte hat!« belehrte mich der Redner, »also mit die Klosettbrille jeht et nu mal nich, aus die Jründe, wo Se jrade jehört haben.«

Jemand lachte. – Alle sahen sich nach ihm um. Es war ein älterer Arbeiter.

Der Redner aber sah mich an: »Ick warne Sie mit Ihre Faxen. Wat ick hier vortrahre, is auf Befehl von unsarem Führer. – Und ick meine es auch nur jut mit Ihnen!«

Der theoretische Teil war beendet. Wir wurden in den Garten getrieben, in dessen Mitte ein Häufchen Sägespäne entzündet wurde. Das eifrige Mädchen, das im Freien noch unansehnlicher aussah, bot sich zum Pumpen an. Ein dünner Rauchfaden stieg empor. Der Redner kommandierte: »Wasser marsch!«

Das Mädchen begann zu pumpen, kurz und hastig, und die Leute reichten sich die ausgeteilten Eimer weiter und machten sich die Schuhe naß.

Aus dem Schlauch kam ein Wasserstrahl.

Der Redner fuhr fort:

»Et is nu eine alljemeine Unsitte, den Wasserstrahl einfach in det Feuer zu spritzen. Damit kann man überhaupt kein Feuer löschen. Vielmehr jehört die Daumen von die Person, die an die Löscharbeiten einjesetzt is, vor die Düse, det ein feina Sprühregen in Erscheinung jerät!«

Der Redner hielt seinen Daumen vor die Düse. Das Feuer brannte lichterloh. Das Mädchen pumpte zum Erbarmen.

»Wat aba als alljemeiner Fehla in Bezuch auf Brandbekämpfung – vorkommt, is, den Eimer mit det jute Wassa direkt in't Feua zu kippen!«

Unter dem Sprühregen seines Daumens war das Feuer kleiner geworden. Wir sahen es und schöpften neuen Mut.

Der Redner kommandierte: »Wassa halt!«

Das Mädchen hielt erschöpft ein und sah sich im Kreise um. Wir durften wieder in den Raum.

Ich ging als Letzter. Hinter mir war nur noch der Luftschutzredner. Aus den Sägespänen schlug ein Flämmchen. Der Redner hob die Spritze auf, pumpte eigenhändig und erzeugte einen neuen Sprühregen mit dem Daumen vor der Düse. Wieder schlugen Flammen aus der Asche. Da warf er die Spritze hin, sah sich scheu um, ergriff den vollen Eimer und schüttete ihn ins Feuer.

Im Schulungsraum standen die Leute und wußten nicht, ob sie sich wieder setzen sollten. Eine Dame hatte noch eine Frage:

»Wenn es aber keine Brandbomben sind?«

»Jawoll, wieso, die Dame? – Denn brauchen Se auch nich zu löschen!«

»Die Dame meint Sprengbomben!« erläuterte der Sanitätsrat.

Der Luftschutzredner knöpfte sich den Mantel zu:

»Betreffs diese brauchen wa uns nicht zu beschäftijen. Unsere Reichsstatistik hat nachjewiesen, det die Sprengbomben von untajeordnete Bedeutung sind, weil uff neunhundertsiebenundachtzig Brandbomben nur eine einzje Sprengbombe zu vazeichnen is.«

»Ja, aber wenn sie nun gerade kommt?«

Der Redner nahm Haltung an: »Da kann ick Ihnen zu Ihra Beruhigung die vatrauliche Mitteilung machen, det unsare Vajeltungsjeschosse in England eine jewaltich jrößere Wirkung erzeujen.«

Wir erhoben die Hände zum deutschen Gruß. – Die Sirenen heulten, es war wieder acht Uhr.

Der Fahrwind pfiff mir um Gesicht und Nase und zupfte an der Krempe meines Hutes. Im Rahmen der nicht vorhandenen Windschutzscheibe wand sich die Landstraße auf mich zu und glitt unter dem Wagen weg. Und vom Himmel über den Bergen leuchtete eine glückliche Sonne durch die staubigen Bäume. Aus dem Graben und aus den seitlichen Feldern ragten zuweilen ausgebrannte Panzerkraftwagen. Ich überholte einen Radfahrer mit Sense. Mir schien, als röche die Luft ein wenig nach Heu. Ich drückte den Gashebel tiefer und schnitt eine Kurve, mein Automobil schüttelte sich unwillig, die Türen klapperten, und nun flatterte der linke vordere Kotflügel, bog sich hoch, schwebte seitlich davon und blieb auf der Straße zurück.

Es war wieder ein Vergnügen zu leben! Auch ohne Kotflügel, Windschutzscheibe und Maßanzug.

Als ich damals vom Luftschutz heimkam, war unser Haus weggewesen. Und als ich am nächsten Morgen zur Arbeit ging, auch die Fabrik. Nur der Direktor hatte da noch gestanden, und ich durfte mich neben ihn stellen, und wir sahen zusammen auf die Trümmer. Dann heulten abermals die Sirenen. Er blieb stehen, und ich weiß auch nicht, was da aus ihm geworden ist, aber ich ging in einen Bunker. Und nachher auf einen Bahnhof und fand einen Zug unter Dampf. Es waren nur wenige Reisende darinnen, aber mit braunen Uniformen und sehr viel Gepäck. Ich setzte mich hinter die Koffer – dort kam keine Kontrolle – und gelangte am Abend unbehelligt in die bayerischen Berge. Meine Mutter las meinem Vater gerade aus der ›Kartause von Parma‹ vor, als ich an die Scheiben klopfte. Erst weinten wir ein wenig, dann heulten auch hier die Sirenen. Aber Mama ging hinunter ins Tal und lieh sich bei Freunden ein Ei. Nach mir kamen die Alliierten, und Mama konnte endlich die Ida entlassen, die immer gedroht hatte, Papa bei der Gestapo anzuzeigen. Das war ein Fest! Idas Koffer habe ich mit Wonnegeheul durch die Fenster geschmissen, obgleich noch ein paar vermißte Sachen von uns darin waren. Und am nächsten Abend wollten wir die Freiheit feiern; Vater hatte über alle Kriegsjahre hinweg eine uralte Flasche Rotwein im Schreibtisch verwahrt, eben für diesen Augenblick. Aber die Ida war zu den Alliierten gegangen und hatte angezeigt, daß wir noch etwas zu trinken hätten. Sie kamen in unser Haus, und nun waren sie es, die Vaters Flasche Rotwein aus dem Schreibtisch tranken. Auf unsere Freiheit! Und die Ida war auch dabei und trank mit, das Saustück! Und trug keine Schnecken mehr am Kopf, sondern Hochfrisur und knallrote Lippen. Und Englisch konnte sie auch schon: »Schonny«, sagte sie zu einem Riesen auf Gummisohlen, »schu mast not lav Brigitte, Brigitte wos Nazi, schu mast lav mi.« – Die Alliierten konnten aber nicht glauben, daß wir nur die eine Flasche hätten, und tatsächlich fanden sie noch zwei Moselweinflaschen. Auf der einen stand mit Handschrift geschrieben: Superfeinkorn, und das war Papas fotografischer Entwickler. Und das andere war Fixiersalz. Und Ida, Ida sah triumphierend zu, denn wenn die Alliierten das austränken, – könnte Papa seine Rollfilme nicht mehr entwickeln.

Was die Ida kann, kann ich schon längst, hatte ich gedacht, und war Dolmetscher auf der Gemeinde geworden.

Das war gar nicht leicht. Ich mußte den Telefonhörer übernehmen, wenn ein alliierter Kommandant anrief, und dann schnell hinüber zur Militärregierung, und dort zuweilen bis in die Nacht bleiben, und den Füßen auf dem Schreibtisch erklären, wie man lange Verschlußzeiten bei der Leica einstellt, wozu links das Hebelchen ist, und welche Blende man nimmt, wenn man Gemsen fotografiert. Dafür unterschrieben sie die Passierscheine oder wollten wissen, ob auch ich ein Nazi war.

»No.«

»Not?« Und warum ich nicht war in einem Concentration Camp.

Ob Sie Nazis gewesen seien, fragte ich dann zurück.

»Oh no!« Und hinter den Füßen tauchten die Köpfe auf.

»Look«, sagte ich, »und warum Sie sind dann nicht gefallen?«

Für die Herstellung dieser freundschaftlichen Beziehungen zur deutschen Bevölkerung hatte mir der Bürgermeister eines Tages das Auto geschenkt.

Ich war rot geworden vor Freude und Verlegenheit und zu einer entfernten Wiese für Beutegut geradelt, auf der zwei Männer mit Armbinden Wache schoben und vielleicht auch anderes. Sie prüften meine Quittung und führten mich an einen Graben. Darin lag ein großer Blechkasten mit Türen und aufgemaltem Wehrmachtsnummernschild. Dies, sagten die Wachtposten, sei mein Kraftfahrzeug für hundertfünfundsiebzig Reichsmark. Wir wälzten es auf den Bauch. Nach dem Wortlaut der Quittung hätte es nun ein Kübelvolkswagen der Wehrmacht sein müssen. Wir fanden im Verlauf der nächsten Stunden auch vier unterschiedliche Räder. Auf linken Scheinwerfer, Verdeck, Hupe und Windschutzscheibe war ich willens zu verzichten. Aus der mitgebrachten Rotweinflasche von Papa goß ich Mamas letztes Waschbenzin in den Tank, mehr der Form halber, denn ein Auto, das monatelang im Graben gelegen hat, kann gar nicht mehr fahren. Die Wachmänner schoben das Fahrzeug an, auch mehr der Form halber, es knallte, der Motor machte ein paar Mal ›puff–puff‹, wohl auch der Form halber, dachte ich, und dann brauste er auf, und das Automobil durchbrach den Lattenzaun für Beutegut und hoppelte mit mir – nun auch ledig seines rechten Scheinwerfers – auf vier verschiedenen Rädern jubelnd über die Landstraße davon.

»Wie heißt du«, frage ich das Auto.

»Ich heiße Kfz. 1.«

»Das ist ein dummer Name! Und so militaristisch. Ich werde dich Tünnes nennen.«

»Zu Befehl!« erwiderte Tünnes. »Fahren wir jetzt wieder zum Einsatz?«

»Nein, Tünnes, sondern in meine Garage. Und das Kämpfen hat nun aufgehört.«

»Mir ist das auch sehr lieb«, gestand Tünnes nach einer Weile, »im Einsatz haben sie immer auf mich geschossen, erst von vorn und nachher von hinten. Hast du schon meinen Auspuff gesehen? Da habe ich lauter Schweißstellen.«

»Das ist nur ein Schönheitsfehler«, tröstete ich ihn und wich den Schlaglöchern aus.

»Mein Vater ist der alte Ingenieur Porsche; er hat immer gesagt, meine schwache Stelle sei der Zylinder Nummer drei. Da käme die Kühlluft nicht genügend hin. Aber eingezogen haben sie mich trotzdem!«

»Ich werde dir Graphit ins Öl tun, daß dir der Kolben nicht klemmt.«

»Danke!« Tünnes hustete. »Aber ich glaube, ich kriege da auch irgendwo Nebenluft am Vergaser.«

Ich hielt an, sah hinten hinein und zog die Flanschschrauben nach.

»Danke«, sagte Tünnes abermals, »ich finde es fein, daß du mich so gut verstehst.«

»Wir wollen Freunde sein«, schlug ich vor.

Noch am gleichen Abend entnazifizierte ich Tünnes eigenhändig, indem ich ihn mit Farbe überstrich. Der Zeit gehorchend: schwarz. Mit etwas Rot. Aber später ist doch wieder das alte Braun durchgekommen. Er war ja so menschlich!

In der nächsten Woche tauschten er und ich seinen elektrischen Anlasser gegen zwei Scheinwerfer, seine hinteren Türen gegen eine Hupe, die aber nur hupte, wenn man nach links lenkte, dann allerdings ganz von selbst und ohne daß man auf den Knopf drückte.

So hatte uns nichts mehr gefehlt, nur das Benzin.

Aber jetzt fuhren wir, der Tünnes und ich, und an meiner Seite ein Professor mit Autobrille und Baskenmütze und der Brieftasche voll von Marken für ›Vergasertreibstoff‹.

Vor drei Tagen war er in mein Amtszimmer gekommen in Pelzmantel und mit Visitenkarte:

›Prof. A. B. Schneider
KZ-ler
Hauptstraße
Postschließfach 111.‹

Ein Mensch mit Manieren und Benzinmarken. Und ich, hatte Herr Schneider gemeint, hätte das Kraftfahrzeug, und vielleicht hätte ich auch etwas im Rheinland zu tun.

Ich hatte nichts im Rheinland zu tun, aber ich könnte einmal nachsehen, was aus meiner alten Schule geworden ist und aus den anderen und der Schmiegsamen in Grün. Und Tünnes würde fahren können, viele hundert Kilometer.

Und die fuhren wir nun. – Die Berge waren zurückgewichen. Über kleine Flüsse führten hölzerne Notbrücken, die sich beim Darüberfahren anhörten wie Xylophone.

Und dann stand am Weg ein Schilderhäuschen, zwei alliierte Posten schlenderten auf die Straßenmitte: »Papers!«

Sie kontrollierten unsere Ausweise. Und weil sie so gut in Ordnung waren, boten die Posten uns ein Päckchen alliierter Zigaretten an, sogar weit unter Preis, zu sechzig Mark, weil schon zwei Zigaretten darin fehlten. – Professor Schneider häutete eine Zigarette ab und stopfte den Tabak wohlwollend in meine Pfeife. Nach drei Kurven stand wieder ein Häuschen: »Papers!« – Und dann faßte der Posten dem Professor in die linke Manteltasche und zog die alliierten Zigaretten heraus und beschlagnahmte sie. Dem Tünnes blieb vor Staunen der Motor stehen. Während ich nach der Andrehkurbel suchte, die griffbereit unter den Koffern lag, kam uns ein anderes Auto entgegen. – »Papers!« – Und der Posten verkaufte dem Fahrer unsere Zigaretten, zu fünfundfünfzig, weil inzwischen drei fehlten. Und dann drehte er am Feldtelefon und rief den ersten Posten an: Die Zigaretten lägen vorne rechts im Handschuhkasten.

Als wir wieder fuhren, lachten wir herzlich über den Vorfall, denn wir hatten viel Humor und malten uns aus, wie dem anderen Autofahrer die Zigaretten wieder abgenommen würden. Um uns zu unterhalten, mußten wir laut schreien, denn Tünnes machte einen höllischen Lärm aus Ärger über die vielen Löcher in der Straße. Herr Schneider war Professor der Philosophie, und nun stellte sich heraus, daß er meine Eltern von früher kannte, und er beschrieb mir unsere alte Wohnung, und alles, was er bei uns gegessen hatte. – Die Sonne sank vor uns in den Horizont. – Wovon er nun lebe, fragte ich den Professor voller

Anteil. – Er habe eine neue Philosophie entdeckt. – Und dafür bekäme er Geld? schrie ich zurück. – Nein, lachte er gegen den Fahrwind, sondern weil er danach lebe. Wie viele andere auch! – Ich hätte gern Genaueres gewußt, aber wir durchfuhren gerade ein Dorf, und ich lenkte um die Hühner und fand, daß der Tünnes verdächtig nach Benzin stank. Ich hielt an.

Vom Motor und allen Aggregaten und von den Wänden des Motorraumes troff eine Mischung von Öl und Benzin. Ich zog bestürzt meinen Kopf zurück; aus dem kugeligen Kopfsteinpflaster waren plötzlich Menschen gewachsen, große und kleine, und umstanden das Auto, die Hände sachkundig in den Hosentaschen. – »Ha!« rief ein Einbeiniger, »unser Volkswagen! Das waren noch Zeiten!« Und hieb mit einer der Krücken auf die Blechkarosse, daß sie dröhnte. – »Da ist die Benzinpumpe kaputt!« stellte ein Zwölfjähriger fest, »und nun schmeißt sie den ganzen Schnaps ins Kurbelgehäuse.« – »Und hinten spritzt es wieder heraus!« konstatierte ein Dreizehnjähriger.

»Ich muß in die Werkstatt«, gestand ich verlegen dem Professor. – »Großartig!« rief der Professor, und er sei das Fahren für heute leid, und habe schon einen Schnupfen, und in der Stadt gäbe es Mädchen. Und er zog die Baskenmütze vom Kopf und kämmte sich die grauen Strähnen.

»Bis zur Stadt ist es zu weit. Bis dahin hält der Motor nicht mehr durch!«

Der Professor stieg aus dem Wagen und verabschiedete sich von mir. – »Wo ist hier der Bahnhof?« fragte er einen der Umstehenden. Und in der Brusttasche hatte er das Benzin!

»Wir könnten es ja versuchen«, gab ich klein bei.

»Dann also los!« Der Professor setzte sich wieder hinein.

Wir fuhren. Die Sonne war untergegangen. Wir schwiegen, ich lauschte auf den Motor, er schien sogar ruhiger geworden zu sein. Und dann endlich sahen wir die Lichter einer Stadt. Es gab einen Knall, die Koffer fuhren uns in den Nacken, es wurde hell um uns und warm von hinten.

Der Professor rettete das Gepäck. Ich lief um den brennenden Tünnes. – »Nehmen Sie Sand!« rief der Professor. Die ganze Erde besteht aus Sand, aber auf der Chaussee war sie mit Asphalt bedeckt, und seitlich der Chaussee mit Gras. – Eine Frau kam gelaufen und rief, da sei doch viel Wasser! – In der Tat floß unten der Main. Da er aber nicht heraufkommen wollte, gaben wir dem lodernden Tünnes einen Stoß, und er fuhr zischend in die Fluten. Nun saßen wir auf unseren Koffern.

»Das habe ich davon, daß ich auf Sie gehört habe!«

»Ich habe Sie nicht gezwungen, weiterzufahren!« Der Professor zündete sich eine Zigarre an.

»Mein Tünnes!« seufzte ich.

»Na schön, ich werde Ihnen den Wagen ersetzen!«

Unten floß das kalte Wasser über den Tünnes.

»Was soll ich mit Geld?« Ich fühlte, wie mir die Tränen in den Augen standen.

»Sie haben recht«, gestand der Professor, »ich werde Ihnen Sachersatz leisten.«

»Sachersatz? Sie wollen mir einen neuen Tünnes – –? Nein, das nehme ich nicht an! Schließlich hätte ich ja auch nicht auf Sie zu hören brauchen!«

»Was war Ihr Tünnes wert?«

»Es war sozusagen mein Freund. Die Gemeinde hat hundertfünfundsiebzig Mark dafür bezahlt.«

Der Professor öffnete einen Koffer und reichte mir zwei Tüten: »Hier sind drei Pfund Zucker; das Pfund steht sechzig Mark, machen zusammen hundertachtzig. Und die fünf Mark, die darüber sind, dürfen Sie behalten!«

»Ist das Ihre neue Philosophie?« fragte ich bitter.

»Nur ein wenig davon«, sagte der Professor, »nehmen Sie ruhig. Ich kriege ihn für fünfzig.«

Drei Pfund Zucker sind besser als nichts! Und Mama würde sich freuen.

»Hick«, sagte jemand aus dem Dunkeln, »jiv mich dä Zucker und isch treck dine Karren erus!« – Der Unsichtbare torkelte davon, eine rappelige Tür schlug zu, ein Dieselmotor brummte auf, zwei abgeblendete Lichter schoben sich näher und dahinter ein Ungetüm. Ketten rasselten. Und dann glitt Tünnes aus dem Wasser und die Böschung empor. Der Professor lud wieder seine Koffer hinein, während das Wasser herausfloß. – »Schleppen Sie uns zur nächsten Garage!« befahl der Professor. – »Hick«, sagte der Fahrer zum Führerhäuschen hinaus. Was meinte der mit Hick? Das Ungetüm ruckte an.

»Sehen Sie nun, was der Zucker wert ist?« strahlte der Professor, »und in der Stadt schlachten wir den Tünnes aus und verkaufen seine Reifen.«

Ich wollte etwas sagen, aber das Ungetüm legte los, daß Tünnes hin- und herflog. Ich wollte hupen, aber das ging nur, wenn ich nach links lenkte, und dazu kam ich gar nicht. Ich wollte bremsen, aber es nützte nichts. Ich wollte rufen, der Diesel fauchte uns Wolken von Qualm ins Gesicht. Und hinter dem Berg legte er noch mehr los. Brauste durch die Ruinen einer Stadt, einmal rechts, einmal links. Die Menschen flohen auf die Bürgersteige. »Hilfe!« schrie der Professor, schon ohne Baskenmütze. Aber die Stadt lag bereits hinter uns. – Meine Hände waren um das Lenkrad gekrallt und ich versuchte, das Schleudern auszugleichen, und sah nichts als das Nummernschild vor mir, 13513, und Auspuffqualm, und wußte, daß es nicht gut geht. Ich dachte an den heiligen Christophorus, und auch an andere Heilige, und lenkte dabei, und sah ein, daß ich in meinem Leben vieles falsch gemacht hatte, und vielleicht würden die Schlepptrosse reißen, aber sie rissen nicht, und es ging im Sprung über einen Bahnübergang und weiter hinein in die Nacht, und mir tat alles leid, und nun war es zu spät.

Erschöpft sank ich über das Lenkrad. Das Ungetüm hatte pfeifend gehalten. Kalte Morgensonne schien auf zerbombte Häuser und rostige Eisenträger. Ich lebte, wenn auch nur zitternd. Vom Tünnes fehlte nun auch die rechte vordere Tür. Und – mein Gott! – auch der Professor fehlte! War irgendwo hinausgefallen, mitsamt den Benzinmarken! Ich hatte es schon einmal bemerkt, aber es war mir in meiner Angst nicht zum Bewußtsein gekommen.

Aus dem Führerhäuschen kletterte der Fahrer, müde und wieder ganz nüchtern. Er blieb mit offenem Mund vor mir stehen und fuhr sich über die ölige Stirn: »Wo kömmst du denn her? Ich mein, ich hab dich schon emal im Leben jesehen!«

Ob der Professor tot ist, dachte ich.

»Wo häste denn hinjewollt?« fragte der Lastwagenfahrer.

»Ursprünglich nach Düsseldorf«, sagte ich schwach.

»Da bist du pfeiljrad richtig!«

»Das ist doch nicht Düsseldorf!«

»N'doch, dat wor et emol!« – Er hakte das Schleppseil aus.

Ich kletterte aus dem Tünnes. Bei Tageslicht sah er hinten aus wie eine abgebrannte Rakete. Vielleicht lebt der Professor noch und liegt hilflos auf der Chaussee! Ich ließ Tünnes allein und fand zur nächsten Polizeiwache. Erst kam ich nicht dran. Und als ich dann von meiner Reise erzählte und dem fehlenden Professor, kamen die anderen nicht mehr dran.

Kennkarte! Passierschein! Fahrbefehl!

»Was war der Zweck Ihrer Reise?«

»Nichts Besonderes«, sagte ich wahrheitsgetreu.

»Hier steht aber: Einkauf von Gemüse!«

»Na ja, das habe ich so gesagt. Sonst kriegt man bei uns keinen Fahrbefehl.«

»Demnach haben Sie einer Behörde schon einmal unwahre Angaben gemacht.«

Ich wurde in ein Nebenzimmer geführt, wo ein Beamter in Zivil saß. »Waren Sie in der Partei?«

»Nein. Und was hat das damit zu tun?«

»Dann werden wir erst einmal prüfen, ob Ihre Personalien stimmen.« – Er telefonierte.

»Bitte Ihren Tankausweis!«

Ich holte ihn aus der Tasche. Der Kriminalassistent pfiff durch die Zähne. »Der gehört doch an die Windschutzscheibe. Oder haben Sie ihn gerettet, als der Wagen brannte?«

»Jawohl«, sagte ich der Einfachheit halber.

Der Beamte prüfte mit Spucke die Ränder des Fahrausweises: »Der hat aber nie an einer Windschutzscheibe geklebt!«

»Nein, hat er auch nicht.«

»Sie wußten schon vorher, daß Ihr Wagen brennen würde?«

»Nein, ich hatte überhaupt keine Windschutzscheibe.«

Der Beamte grinste: »Möchten Sie damit sagen, daß Sie die ganze Reise ohne Windschutzscheibe machen wollten?«

»Jawohl.«

»Um wieviel Uhr ereignete sich der Brand? Gegen 20 Uhr? Dann können Sie ja noch gar nicht hier sein!«

»Bezweifeln Sie etwa, daß ich hier bin?«

»Werden Sie nicht frech! War es vielleicht ein Rennwagen, an den Sie sich angehängt hatten?«

»Ich hatte auch manchmal den Eindruck.«

»Das polizeiliche Kennzeichen des Wagens wissen Sie wohl nicht?«

»Doch. DUS 13513.«

Der Kriminalassistent notierte. Durch das Fenster sah ich, wie drei Polizisten den armen Tünnes in den Hof schoben.

Und nun schleppten sie die Koffer in das Zimmer.

»Der kleine gehört mir!« sagte ich.

Der kleine interessierte die Beamten nicht, sie öffneten die Koffer des Professors. In dem ersten: ein wenig Wäsche, fünf Fotoapparate, noch zwei Tüten mit Zucker, ein Kommentar zum Strafgesetzbuch und zwei Uhren. Die Beamten räusperten sich bedeutungsvoll. In dem zweiten Koffer: Nur Kartoffeln! Die Beamten sahen mit langen hungrigen Augen darauf.

»Sie glauben«, der Kriminalassistent war dicht an mich herangetreten, »daß der Eigentümer noch am Tatort liegt?«

»Ich nehme an, daß er zumindest verletzt ist. Aber wo das war, weiß ich nicht. Und was heißt überhaupt Tatort?« brauste ich auf.

»Tatort heißt, daß Sie die fünfstellige Nummer des Lastkraftwagens gesehen haben, obgleich sie sechs bis acht Meter von Ihnen entfernt war, daß Sie aber nicht gesehen haben wollen, wie der Eigentümer dieser Wertgegenstände –«, er deutete auf die Kartoffeln und die Fotoapparate –, »aus dem Wagen fiel, obgleich er nur wenige Zentimeter neben Ihnen saß.«

»Glauben Sie, Herr Kriminaldings, daß ich zur Polizei gehen würde, wenn ich ein schlechtes Gewissen hätte?«

Der Kriminalassistent setzte sich hinter den Schreibtisch und faltete die Hände: »Ihre Logik ist hier nicht ganz neu. In dieser Woche sind Sie der Dritte, dem – natürlich unbemerkt – der Beifahrer aus dem Wagen gefallen ist. Und der Zweite, der mit Unschuldsmiene auf die Polizei gelaufen kommt. Nur, daß Sie sich ein raffiniertes Alibi zü verschaffen versuchten: Sie hatten einen Zeugen, den Fahrer des Lkw. Einen Zeugen, der aber naturgemäß nichts sehen konnte. Die Nummer haben Sie sich – wie gesagt – gut gemerkt.«

»Ich weiß nicht, worauf Sie hinaus wollen.«

»Das ist auch nicht nötig.« – Der Kriminalassistent flüsterte mit den Polizisten. »Noch eine Frage, Herr – Ihren richtigen Namen werden wir noch herausfinden – haben Sie schon einmal gehört, daß Eisen brennt?«

»Nicht daß ich wüßte.«

»Das Eisenblech Ihres Wagens hat aber gebrannt. Was veranlaßte Sie, Benzin darüber zu gießen?«

»Das war nicht ich, das kam von innen.«

»Letzte Frage! Über was unterhielten Sie sich mit Ihrem Mitfahrer, als das Benzin entzündet wurde, beziehungsweise der Wagen in Brand geriet?«

»Über nichts.«

»Schlief er?«

»Ja. Aber dann wurde er wach.«

»Wurde wach? – Danke. Das wollte ich nur hören!« sagte schneidend der Kriminalassistent. »Und statt dessen haben Sie ihn dann durch die Tür verloren, nicht wahr!« Er begann zu telefonieren, daß mir angst und bange wurde. Und dann benachrichtigte er die hier wohnhaften Angehörigen des Professors, deren Adresse ich ihm nennen mußte.

»Wer ist dort? – Wer? – Sind Sie verwandt mit einem Professor A. B. Schneider? – – Was soll das heißen? – Sie?? – Ich denke – – Jawohl, der ist bei uns, der sitzt gerade hier!«

Der Beamte reichte mir wütend den Hörer.

»Hallo!« rief der Professor durch das Telefon, »wo haben Sie meine Koffer? Und leben Sie noch?«

»Doch ja. Und Sie auch?«

»Wie ärgerlich, dann hätte ich ja gar nicht abzuspringen brauchen! – Doch, als es einmal steil bergauf ging, ziemlich langsam sogar, aber das war nur relativ gesehen, haha, denn gesehen habe ich überhaupt nichts, und deshalb habe ich mir auch den Knöchel gebrochen! – Was? – Ich habe einen anderen Wagen angehalten.« – Professor Schneider senkte etwas die Stimme: »Läßt sich Ihr Tünnes noch reparieren?«

»Vielleicht!« – Mir klopfte das Herz. »Aber ich weiß nicht, ob sich das lohnt«, fügte ich bescheiden hinzu, und mein Herz klopfte noch stärker.

»Doch, es lohnt sich!« rief der Professor, »und die Kosten übernehme natürlich ich.«

Der Kriminalassistent hing den Hörer auf.

Hat der sich geändert in einer Nacht! dachte ich, und meinte den Professor.

Die Beamten sahen wieder auf die Kartoffeln und nahmen Abschied von ihnen. Da griff ich in den Koffer, und gab jedem von ihnen fünf Stück. Auch dem Kriminalassistenten. Ich bitte Sie, das nicht falsch zu verstehen! – Nee, sie verstanden es gar nicht falsch. Und ich war ja so froh, daß ich wieder herauskam, und daß mein Tünnes repariert wurde.

Von der Werkstatt wanderte ich zum Bahnhof, denn ich hatte wieder einmal nichts zu rauchen, und fand Leute mit Aktentaschen. Sie standen zuhauf, und wenn man zwischen ihnen hindurch ging, murmelten sie etwas. – »Haben Sie Tabak?« murmelte ich zurück.

»Sie versuchen, schwarzen Tabak zu kaufen?« fragte jemand hinter mir. Ich drehte mich um und stand zwei Polizisten gegenüber.

»Ich verweigere die Aussage«, erklärte ich rasch, denn mit der Polizei wollte ich mich nicht wieder einlassen.

»Damit kommen Sie aber nicht weit«, grinste der eine.

»Denn«, sagte der andere, »wenn Sie Tabak wollen, dann müssen Sie zur Flingerstraße; hier am Bahnhof gibt es nur Schuhe und Stöffchen.«

Inzwischen hatte ich Hunger. Von der Flingerstraße ging ich zur Schmiegsamen in Grün. Aber sie wohnte woanders, ich mußte lange laufen, und sie war inzwischen verheiratet und auch nicht zu Hause. Und ihr Mann hatte wenig Zeit. Ich hätte sie niemals geheiratet, aber nun ärgerte es mich. Und mir war, als hätte ich etwas versäumt.

Am nächsten Morgen ging ich wieder zur Werkstatt. Da stand der Professor im Gipsbein. Schlosser und Lehrlinge flitzten eilfertig um ihn herum, rauchten duftende Zigaretten und schleppten Ersatzteile herbei und eine Windschutzscheibe und passende Türen. Und der Meister rauchte eine nagelneue Zigarre, sagte ›Herr Direktor‹ zum Professor und unterbreitete Vorschläge über die Farbe, mit der Tünnes lackiert werden solle.

»Ach, mein lieber Reisekamerad!« Der Professor hatte mich gesehen. »Nein, nein, reden wir nicht weiter darüber, ich weiß doch, was ich Ihnen schuldig bin!«

So viel sei er mir doch nicht schuldig, stotterte ich.

»Übrigens«, der Professor zog sein Gesicht in trübe Falten, er müsse mich leider allein zurückreisen lassen. Er deutete auf sein Gipsbein, und dann händigte er mir die Benzinmarken aus. »Nein, nein, keine Worte des Dankes!« Aber – wenn ich ihm eine Gefälligkeit erweisen wolle – ich möchte doch bitte sein Gepäck mitnehmen, dafür bezahle er ja die Reparatur.

»Was für ein Gepäck?« fragte ich mißtrauisch.

»Flüchtlingsgepäck. Wenn man Sie fragen sollte, sagen Sie: Flüchtlingsgepäck. Sie sehen übrigens schlecht aus! Sie sollten besser essen!« und er drückte mir Lebensmittelmarken in die Hand. Und in den guten Tünnes zogen sie schwarzglänzende elektrische Kabel ein.

Selig verließ ich die Werkstatt und begab mich zu meiner alten Schule. Ich steckte mir die Pfeife an, die meine Lehrer nie leiden mochten. Und ich würde so nebenbei durchblicken lassen, daß ich es auch zu einem Auto gebracht hatte, trotz meiner unleserlichen Handschrift und der schlechten Zensur im Betragen!

Und dann stand ich vor dem großen schmiedeeisernen Tor, das immer verschlossen war, und neben dem kleinen Türchen, durch das wir uns mit den Fahrrädern gezwängt hatten. Und dahinter lag ein Feld von Ziegeln und Schutt, staubige Pflanzen wucherten darauf, und Blumen in trüben Farben. Über die Straße kam ein alter Mann und zog mit kurzen Schritten ein Leiterwägelchen. Nun hielt er an, ließ das Wägelchen stehen und kletterte mit schwachen Knien auf das Ziegelfeld, stieg weiter über die Trümmer und rutschte ein wenig ab. Dann hockte er sich nieder, zerrte zwei Ziegelsteine aus dem Schutt und schleppte sie zurück zu seinem Wägelchen. Und dann wankte er wieder an dieselbe Stelle. Ich kletterte ihm nach: »Entschuldigen Sie, können Sie mir vielleicht sagen, wo die jetzt alle sind? Ich meine die Schule, wo sie jetzt untergebracht ist?« – Er hörte mich nicht. – »Hallo!« ich tippte ihm auf die Schulter, wo die Schule jetzt sei? – Er blickte verständnislos auf. – »Sagen Sie mal, wenn Sie Ziegelsteine brauchen, warum kraxeln Sie über die Trümmer? Die können Sie an der Straße doch bequemer haben!« – Er war taub. Ich zeigte zur Straße und machte mich mit Zeichen verständlich. Er sah mich zornig an: »Das hier sind meine Steine, junger Mann! Ich stehle nicht; das hier«, er zeigte auf den Boden, »das hier war meine letzte Klasse, junger Mann. Kurz vor dem Abitur!« Ich half ihm, die nächsten Steine bis zu seinem Wägelchen tragen, die Steine seiner letzten Klasse. »Ich will mir nämlich einen Ofen bauen!« erklärte er und schrie laut, wie alle, die ihr Gehör verloren haben. Dann sah er mich plötzlich wieder an, ganz nah, mit schiefgestelltem Kopf: »Ach, das sind Sie. Jaja! Jaja!« Er fuhr mir zärtlich mit der sandigen Hand über die Wange: »Jaja!« Und seine alten Augen wurden feucht. In diesem Augenblick ging jemand vorüber und warf einen Zigarrenstummel auf das Pflaster. Studienrat Anton eilte mit kurzen Schritten dahin, hob den Stummel auf und barg ihn in ein verbeultes Blechkästchen. Und hatte mich schon wieder vergessen. Dann faßte er die Deichsel seines Leiterwägelchens, und ich sah ihm nach, wie er es mühsam von dannen zog.

Ich ging zur Autowerkstatt und setzte mich in meinen Tünnes, an dem sie hinten hämmerten und schweißten. Und blieb dort sitzen, bis Feierabend war, und der Meister in Hut und Mantel sich neben meinen Wagen stellte und ungeduldig mit dem Schlüsselbund klirrte.

»Herr van Tast, darf ich bitten? Es ist jetzt soweit!«

Vor mir steht die Hebammenschwester. Morgenlicht fällt durch die hohen Fenster in die Gänge. Das rote Flackersignal über der Tür ist erloschen. In den Bäumen zwitschern die ersten Vögel. Ich erhebe mich von der Bank und bin ein wenig schwindelig. Auf dem Boden liegt meine Pfeife; ich hebe sie auf. Ich habe viel erlebt und bin doch nicht glücklich gewesen. Ich werde meinen Sohn anders erziehen, ganz anders! Denn wie man einen

Sohn anders erzieht, das weiß ich nun, ich, der ich selbst noch immer ein Sohn bin. Und so werde ich ihn – –

Die weißen Flügeltüren öffnen sich lautlos. Auf einer Rollbahre wird Margret, meine Frau, zu mir herausgeschoben. Die Locken fallen ihr matt in die Stirn. Und in ihrem rechten Arm liegt, winzig und rot, meine Tochter.

Alexander Spoerl

filmen mit Spoerl

Mit 11 heiteren Zeichnungen v. Wigg Siegl u. 37 techn. Zeichn. v. Paul Lang sowie 31 Fotos des Verfassers. 1967. 218 S. Leinen

Fische fangen

Mit vielen heiteren Ill. u. auch techn. Zeichn. v. Werner Labbé. Dazu 4 farb. Taf. 3. Aufl. 17. Tsd. 1966. 238 S. Leinen

Memoiren eines mittelmäßigen Schülers

Neuausgabe. 6. Aufl., 99. Tsd. 1977. Piper-Präsent. 223 S. Geb.

Mit dem Auto auf du

Überarb. Neuausg. 192. Tsd. 1973. 247 S. mit 6 Fotos u. 17 Zeichn. Geb.

Mit der Kamera auf du und Vergrößern eine Kleinigkeit

1972. 365 S. mit 45 Fotos u. 39 Zeichn. Geb.

Ein unbegabter Liebhaber

Neuausgabe. 5. Aufl. 33. Tsd. 1976. Piper-Präsent. 166 S. Geb.

Cartoons

Chaval:
Sie sollten weniger rauchen
814

Don Dekker/ The Tjong Khing:
Der Rebbe
Deutsche Erstausgabe
1118

Paul Flora:
Auf in den Kampf
859

Gerard Hoffnung:
Hoffnungslos
514
Vögel, Bienen, Klapperstörche
Hoffnungs Sprößlinge
630
Hoffnungs Potpourri
900

Der große Mordillo
Cartoons zum Verlieben
1288

Ronald Searle:
Das eckige Ei
984

Sempé:
Um so schlimmer
784

Jules Stauber:
Leben und leben lassen
Originalausgabe
1225

Thelwells vollständiges Hunde-Kompendium
1046
Thelwells Reitlehre
1175

Heiteres

Ernst Heimeran:
Lehrer, die wir hatten
1085
Der Vater und sein erstes Kind
Mit Zeichnungen von Fritz Fliege
1137

Robert Lembke:
Das muß mir passieren
Erlebtes und Erdachtes
926

Jürgen von Manger:
Bleibense Mensch!
Träume, Reden und Gerede des Adolf Tegtmeier
1018

Valérie von Martens:
Curt's Geschichten
Kurzgeschichten von und über Curt Goetz
1052

Carlo Manzoni:
Liebling, zieh die Bremse an
Heitere Geschichten um das Auto
1248

Ludwig Thoma:
Jozef Filsers Briefwexel
20
Lausbubengeschichten
Aus meiner Jugendzeit
997
Tante Frieda
Neue Lausbubengeschichten
1058

Karl Valentin:
Der reparierte Scheinwerfer
Szenen und Dialoge
1108

Hugo Wiener:
Spiel du den Blöden!
Doppelconférencen und Sketches
1182

Ludwig Thoma

Jozef Filsers
Briefwexel
20

Altaich
Roman
132

Der heilige Hies
Bauerngeschichten
201

Der Münchner im
Himmel
Satiren und
Humoresken
323

Der Wittiber
Roman
446

Lausbubengeschichten
Aus meiner
Jugendzeit
997

Tante Frieda
Neue Lausbuben-
geschichten
1058

Peter Spanningers
Liebesabenteuer
Kleinstadtgeschichten
1096